대한민국
건국전후사 바로알기

대 한 민 국
건국전후사 바로알기

양동안 지음

建國
前後史

Pre- and Post-Establishment History of Korea

도서출판 대추나무

서 문

우리나라에서는 우리 민족이 일제로부터 해방된 1945년 8월 15일부터 1949년 말까지 이 나라에서 발생했던 중요한 정치적 사건들에 대해 진실과 다른 왜곡된 서술들이 매우 널리 퍼져있다. 반체제세력이 대중에게 대한민국에 대한 부정적 의식을 주입하려는 심리전 공작의 일환으로 그러한 왜곡 서술들을 확산한 것이 그 주된 원인이다.

저자는 상당히 오래 동안 반체제세력이 왜곡 서술한 사항들을 바로 잡기 위한 연구를 해왔고, 그 연구 결과들을 발표해왔다. 이 책도 그러한 노력의 일환으로 작성된 것이다.

이 책의 내용은 1945년 8월 15일 해방부터 1949년 말까지의 역사, 바꾸어 말해서 1948년 8월 15일 대한민국의 건국이 이루어진 시점을 전후하여 발생했던 중요한 정치적 사건들에 관해 반체제세력이 확산해놓은 잘못된 서술들을 바로잡은 것이다.

그 시기의 역사를 통상 '해방전후사'로 부른다. 그러한 명칭은 대한민국의 건국을 부정적으로 평가하려는 의도를 반영하는 것이다. 대한민국 건국의 의의를 긍정적으로 평가한다면 '건국전후사'로 부르는 것이 옳다. 해방이 우리 민족에게 준 충격의 강도는 대한민국의 건국이 준 충격보다 큰 것이었지만, 역사적 중요성의 면에서는 대한민국의 건국이 해방보다 크기 때문이다. 해방은 대한민국의 건국을 위한 절차이며, 건국이 이루어지지 않았다면 '해방'의 가치는 매우 낮아진다. 건국으로 완성되지 못한 해방은 꽃으로 개화되지 못한 꽃망울 같은 것이라 할 수 있을 것이다. 저자의 이런 생각을 반영하기 위해 이 책의 이름도 『대한민국 건국전후사 바로알기』로 정했다.

이 책의 내용은 거의 전부가 기존의 다수설과 정반대되는 것들이다. 독자들은 이 책을 읽으면서 "이런 주장도 있구나"라고 가볍게 넘어가지 말고, 저자가 자신의 의견을 밑받침하기 위해 제시하는 논거와 다수설의 논거를 객관적인 입장에서 면밀하게 대조해 주기 바란다. 그런 다음 논거가 타당한 쪽을 올바른 서술로 단호하게 선택해 주기 바란다. 그러한 객관성, 면밀함, 단호함이 없고서는 우리 사회에 미만한 건국 전후시기의 역사에 관한 거짓말들을 몰아내는 일은 한 발짝도 진전되지 못할 것이다.

이 책을 세상에 내놓음에 있어서 정성희 목사, 이희천 교수, 김정욱 대표 등의 도움이 컸다. 그들에게 깊은 감사의 뜻을 표한다.

2019년 8월 1일 저자 씀.

차례 | **Contents**

제1장

1945년 8월 15일은
해방일인가 광복일인가?

'광복'이란 용어의 역사

1945년 8월 15일은 우리 민족이 일본의 식민지 통치로부터 벗어난 극히 중요한 날이다. 우리나라 국민은 이 중요한 날의 명칭을 놓고 혼란스런 태도를 보이고 있다. 어떤 사람들은 해방일이라고 부르고, 어떤 사람들은 광복일이라고 부른다. 1945년 8월 15일을 해방일이라 부르는 것이 옳은가, 광복일이라 부르는 것이 옳은가? 이 질문에 대답하려면 우선 '광복'과 '해방'의 정확한 의미부터 파악해야 한다.

정치와 관련된 용어, 또는 정치적 용어의 의미는 그 용어에 들어 있는 낱낱의 문자들의 뜻을 기준으로 해서 파악하려 해서는 안 된다. 정치와 관련된 용어란 실천적 용어이기 때문에 어떤 정치적 용어의 의미를 파악할 때는 그 용어가 현실에서 추구하는 실천의 내용을 기준으로 해서 파악해야 한다. 다시 말해서 정치적 용어는 그 용어를 사용한 사람들이 그것의 실천적 의미를 무엇으로 생각했던가를 기준으로 그 의미를 파악해야 한다. 정치적 용어인 광복과 해방이란 용어의 정확한 의미도 그 용어를 사용했던 사람들이 어떤 실천적 의미로 그 용어를 사용했던가를 기준으로 해서 파악해야 된다.

광복이란 용어는 일상생활에서는 쓰이지 않는 용어이다. 정치적 용어로만, 그것도 독립운동과 관련해서만 극히 제한되게 사용되었다. 20세기 전반기에 정치와 관련된 용어로서 광복(光復)이란 용어를 사용한 사람들은 한국인과 중국인뿐인 것 같다. 광복은 적합한 영문 번역어도 찾기 어려운 것으로 보인다. 우리나라의 한영사전은 광복을 과거에는 Independence로 번역하더니 요즈음엔 Liberation으로 번역하고 있다.

중국에서 광복이 사용된 사례로는 1910년대 지식인들 사이에서 전개된 반청운동(反淸運動)으로서의 광복운동(光復運動)과 1930년대의 대만광복운동(臺灣光復運動) 등이 있다. 이때의 광복의 실천적 의미는 한족이 만주족의 지배로부터 벗어나 한족이 지배하는 통치질서를 복구하는 것, 또는 일본 지배하에 있는 대만을 중국영토로 원상회복하는 것이었다. 필자가 과문한 탓인지 모르겠으나 중국인들은 '광복'이란 용어를 그다지 널리 사용하지 않은 것으로 보인다. 그에 반해 한국인들은 '광복'이란 용어를 상당히 광범하게 사용했다.

한국 독립운동가들 사이에서 광복이 사용되기 시작한 것은 1910년대 부터였다. 1913년에는 경상북도 풍기에서 광복단이 결성되었고, 1915년에는 대구에서 광복단과 조선국권회복단이 통합하여 대한광복회가 결성되었다. 대한광복회는 비밀결사였다. 한 때는 그 회원수가 2백 명에 달한 것으로 알려진다. 광복회는 1918년 1월 일제경찰에 조직이 발각되어 많은 회원들이 체포되고, 체포를 면한 회원들은 대부분 만주로 도피했다.

대한광복단 또는 광복회가 사용한 광복이란 '국권회복'의 은유적 표현이었다. 국권, 즉 국가의 주권과 빛은 어둠을 몰아낸다거나 생명과 활력을 지원하는 속성이 같다고 생각하여, 국권이 사라진 것을 암흑으로 표현하고 국권의 회복을 광복이라 표현한 것이다. 독립운동가들에게는 1910년 대한제국이 일본에 강제합병되어 이 나라가 주권을 상실한 것은 빛이 없는 암흑세상이 된 것이고, 국가의 주권이 회복되는 것은 어둠이 사라진 광명 세상의 회복이었던 것이다. 이처럼 광복은 국가주권을 회복하는 것이므로 사회과학의 통상적 용어로는 독립에 해당된다.

1920년대부터 널리 사용된 '광복'

해외 독립운동가들도 1920년부터 '광복'을 사용하기 시작했다. '광복'을 단체명에 사용한 독립군단체가 1920년 만주에서 등장했다. 1920년 2월 남만주에서 광복군사령부가 결성되었다. 남만주지역에서 활동하던 독립운동단체들의 연합체였다. 만주의 광복군사령부는 상해임시정부 직할 군사조직의 성격을 가졌고, 산하 무장병력은 약 4천 명에 달했다.

광복군사령부 병력은 국경을 넘어 한반도 북부로 들어가 일제 행정기관과 경찰주재소 등을 습격했다. 1920년 겨울 일본군의 대규모 공세를 받아 광복군총사령부는 기능이 마비되고 잔여 병력은 산간벽지로 분산하였다. 병력이 분산되어 상호간에 연락이 두절되자 잔여부대의 일부 병력이 광복군총영(光復軍總營)을 결성했다. 이 단체의 지도자는 광복군사령부 제2영장이던 오동진이었다. 1922년 만주에 있는 독립군 각 부대가 대한통의부(大韓統義府)로 통합될 때 광복군총영을 비롯하여 각지에 분산되었던 독립운동단체들이 거의 모두 이에 흡수 통합되었다.

하와이에서 독립운동을 전개하던 이승만 임시정부 임시대통령도 1920년대 초반에 '광복'이란 용어를 자주 사용했다. 이승만은 그가 주도하여 발행한 『태평양잡지』 1923년 3월호에 게재된 「한족의 단합이 언제」라는 글에서 "… 우리의 군사는 광복사업을 위하여 싸우는 자이며 광복사업을 이룬 후에는 적국을 막는 군사로만 알 것이오 …"(『태평양잡지』 1923년 3월호 4쪽) 라고 서술했다. 그는 『태평양잡지』 1923년 3월호에 게재된 「공산당의 당부당」이란 글에서는 "우리 한족에게 제일 급하고 제일 긴하고 제일 큰 것은 광복사업이라. 공산주의가 이 일을 도울 수 있으면 우리는 다 공산당 되기를 지체치 않으려니와 만일 이 일이 방해될 것 같으면 우리는 결코 찬성할 수 없노라."(『태평양잡지』 1923년 3월호 18쪽) 라고 주장했다. 이승만은 또 『태평양잡지』 1923년 7월호에 게재된 「통일의 일기회」라는 글에서 "… 정부를 파괴하고 제 권리를 높이려던 인물들이 지금이라도 마음을 고치고 죄를 뉘우쳐서 정부를 받들어 광복대사를 진심으로 돕고자 하면 …"(『태평양잡지』 1923년 7월호 9쪽) 이라고 말했다. 이승만이 사용한 '광복'은 모두가 독립을 의미하는 말이었다.

1925년에는 중국에서 활동하던 임시정부의 공식 문서에 '광복'이 등장했다. 1925년에 공포된 대한민국 임시정부 3차 헌법에 독립의 의미로 '광복'을, 독립운동가의 의미로 '광복운동가'라는 용어가 사용되었다. 1927년에 공포된 임시정부 4차 헌법, 1940년에 공포된 임시정부 5차 헌법, 1944년 4월에 공포한 6차 헌법에도 '광복'과 '광복운동자'라는 용어가 '독립'과 '독립운동자'를 뜻하는 말로 계속 사용되었다.

1937년에는 한국광복운동단체연합(광복진선)이 등장했다. 이 단체는 해외에서 활동 중인 우익진영의 독립운동단체들이 만든 연합체이다. 1940년에는 한국광복군이 창설되었다. 광복군은 임시정부 산하의 군사조직이었다. 광복진선과 광복군이 자기들의 단체명에 광복을 사용한 것은 좌익진영의 항일운동세력이 민족'해방'이란 용어를 애용하는데 대한 반발에서였다.

광복 = 독립

이처럼 우익 독립운동세력과 임시정부 인사들은 광복을 독립과 호환적 동의어로 사용했다. 이승만이 그러했고 임시정부 구성원들이 그러했으며, 임시정부의 헌법이 그러했다. 이러한 사실을 명료하게 말해주는 문헌으로는 한국광복운동단체연합(광복진선)의 선언문과 한국광복군의 선언문을 들 수 있다.

한국광복운동단체연합(광복진선)의 선언문은 "우리 광복운동단체들은 … 우리나라 우리민족의 자유 독립을 찾기까지 굳세게 싸워나가기를 이에 선언한다." 라고 천명했다. 한국광복군의 선언문은 "광복군은 중화민국 국민과 합작하여 우리 두 나라의 독립을 회복하고자 공동의 적인 일본 제국주의자들을 타도하기 위하여 연합국의 일원으로 항전을 계속한다."라고 천명했다. 광복을 추구한 단체들이 자기들의 목적을 독립이라고 선언했으므로, 단체명에 들어있는 광복과 선언문에 들어 있는 독립은 동의어라는 것이 확실해진다.

한국광복군총사령부 성립식. 1940년 9월 15일 중국 중경(重慶)에서 거행된 한국광복군총사령부 창설식. 광복군 창설식에 사용된 아치에 한국광복군의 영문 명칭이 Korean Independence Army로 표기되어 있다. 이는 곧 광복이 독립과 동의어임을 확인해준다.

한국광복군이 사용한 자기들의 영문명칭은 광복이 곧 독립임을 직설적으로 확인해준다. 한국광복군은 자기의 영문 명칭을 Korean Independence Army로 표기했다. 이는 곧 광복의 영어 번역어가 Independence임을 분명하게 말해준다. 이러한 사실들은 광복=Independence=독립이라는 점을 논란의 여지없이 확인해준다.

이처럼 광복과 독립은 호환적 동의어이다. 차이가 있다면, 전자는 주권의 '회복'에 방점을 두고 후자는 주권의 '확립'에 방점을 둔다는 정도의 차이가 있을 뿐이다. 주권의 회복이나 주권의 확립은 '주권을 보유한다'는 점에서 완전히 같은 것이지만, 주권보유를 과거의 회복으로 보느냐, 새로이 획득한 것으로 보느냐 에 관한 의식의 차이가 있는 것이다. 우리 민족이 반만년의 유구한 역사를 가졌으며, 독립은 잠시 빼앗긴 국권을 회복하는 것이라는 점을 강조하고 싶어 하는 인사들은 광복이란 용어를 선호했다. 반면에 국가가 이미 소멸되었으므로 주권은 새로 획득할 수밖에 없다고 생각하며, 국제사회에서 일반적으로 통용되는 용어를 사용하고자 하는 인사들은 독립이란 용어를 선호했던 것이다.

'해방'이란 용어의 역사와 의미

'해방'이란 용어는 '광복'이란 용어와 달리 정치적 용어로도 많이 사용되고 일상생활에서도 자주 사용되는 용어이다. 우리 민족 사이에서는 정치적 용어로 먼저 사용된 후 일반용어로 사용되었다. 또 '광복'은 한국 독립운동가들이 조어 또는 차용한 용어인데 반해 '해방'은 영어 단어 Liberation의 번역어이다. 1920년 코민테른(Comintern: ·공산주의자 인터내셔널) 제2차 대회가 피압박 민족의 해방(National Liberation)을 지원하는 투쟁을 적극적으로 전개하기로 결의한 이후 우리 민족의 좌익 항일운동세력이 '민족해방' 혹은 '해방'이란 용어를 애용했다. 그에 뒤이어 일반인들도 그 용어를 약간씩 사용했다. '해방'을 일반인들이 널리 사용한 것은 1945년 8월 15일 해방이후부터이다.

정치적 용어로서의 '해방'은 그 용어를 사용하는 사람의 사상에 따라 상이한 의미를 가진다. 공산주의 사상을 가진 사람은 노동자계급과 피압박 민족에 대한 정치·사회·경제적 탄압과 착취가 모두 사라진 것을 뜻한다. 공산주의자들이 말하는 '민족해방'은 피압박 민족이 정치적 독립을 확보한데 이어 독립된 국가를 사회주의화하는 것까지를 의미하며, '노동해방'은 자본가계급과 그들의 제도를 타도하고 노동자계급의 독재가 실시되는 것을 의미한다.

공산주의자가 아닌 사람들, 특히 자유민주주의자들이 '해방'이라는 용어를 사용할 때 그것이 의미하는 바는 속박이나 압제의 해소이다. 국제정치상의 '해방'의 의미는 어떤 민족이나 국가에 대한 다른 민족 또는 국가의 지배가 사라지는 것을 뜻한다.

1945년 8월 15일 일본이 연합국에 항복함으로써 우리 민족이 얻게 된 것을 '해방'이라고 최초로 정의해준 것은 소련이다. 소련은 45년 8월 15일(일설에는 8월 20일)에 발표된 북한진주 소련군 사령관 치스챠코프의 포고문에서 '소련군은 해방군으로 조선에 왔으며, 이제 조선인민은 해방되었다'고 선언했다.

일본의 항복으로 우리 민족이 얻게 된 것이 해방이라는 점을 두 번째로 정의해준 것은 임시정부의 주도 정당인 한국독립당이었다. 한독당은 45년 8월 28일 중국에서 발표한 선언에서 "현하 왜적은 붕괴되었다. 우리의 조국은 동맹국의 우의적 협조 하에 해방되고 있다"고 말했다. 이어서 "이에 본당은 원수 일본의 모든 침탈세력을 박멸하여 국토와 주권을 완전 광복하고 정치, 경제, 교육 균등을 기초로 한 신민주국을 건설하여 …"라고 말했다. 45년 8월 15일 일본의 항복으로 한반도에서 해방이 진행 중이며, 한독당은 앞으로 국토와 주권을 완전 광복하고 신민주국가를 건설할 계획임을 밝힌 것이다.

그로부터 1주일이 지난 45년 9월 3일 임정 주석이자 한독당 당수인 김구는 당시 한반도에서 진행 중인 것이 해방이고 독립은 앞으로 이룩할 일이라는 점을 재확인했다. 김구의 성명은 '조국의 해방을 안전에 목도하면서', '조국의 독립을 안전에 전망하고 있는 이때에' 등과 같은 어구를 사용, 그 시점에 한반도에서 진행되고 있는 것이 해방이고 독립은 미래에 이루어질 사항이라는 점을 확인해주었다.

45년 8월 15일은 해방이란 인식의 보편화

저자는 국사편찬위원회 발행『자료 대한민국사』에 수록된 1945년 8월 15일부터 9월 15일까지의 1개 월 간의 신문기사들 가운데 '해방'과 '광복'을 언급한 정당 및 사회단체의 성명 또는 선언들을 모두 검색한 결과, 총 10건의 기사를 발견했다. 그 중 단 1개, 즉 한국민주당준비위원회가 발표한 발기선언만 1945년 8월 15일 한국인에게 주어진 사건의 성격을 '광복성취'로 선언했으며, 나머지 9건은 한결같이 1945년 8월 15일에 일어난 사건을 '해방'이라고 기술했다. 광복은 독립, 주권의 회복을 말하는 것인데, 45년 8월 15일 일본의 항복으로 조선이 얻은 것은 독립 성취 혹은 주권국가 건립이 아니었기 때문이었다.

1945년 8월 15일에 있었던 일본의 항복은 한반도에 대한 미국과 소

해방을 환호하는 군중. 해방직후 군중이 서울의 거리로 쏟아져 나와 해방을 환호하고 있다. 1945년부터 1949년까지의 기간 중 우리나라 사람들은 1945년 8·15에 이루어진 일이 해방이라는 사실을 모두가 잘 알고 있었다. 그 때는 1945년 8·15를 일사분란하게 '해방'이라고 불렀고, '광복'이라고 부르는 일이 없었다.

련의 분할점령과 연결된 것이었기 때문에 그것이 곧 우리 민족의 독립이 아니라는 점이 분명했다. 따라서 우리 민족의 정치지도자들과 대중은 일본의 항복으로 인해 우리 민족이 얻게 된 정치적 상황을 해방으로 규정했다. 일본의 우리 민족에 대한 지배가 소멸되었다는 뜻에서였다.

한민당준비위원회 구성원들과 같은 독립운동과 거리가 먼 정치인들만이 광복이 독립을 의미한다는 사실을 알지 못한 채, 일본으로부터의 해방을 광복으로 잘못 표현했다. 그러나 이러한 잘못된 용어 사용은 곧 사라졌고, 45년 8월 15일에 우리 민족에게 발생한 사건은 '일본의 식민지 지배로부터의 해방'이라는 인식이 우리 민족 전체에 일반화되었다.

45년 8월 15일에 우리 민족에게 주어진 것이 '독립'이 아니라, 단지 '일제로부터의 해방'된 것이라는 점은 43년 12월에 발표된 카이로선언의 한국 관련 문장에서 이미 예고되었다. 카이로선언의 한국 관련 문장은 "위의 3대국(미·영·중)은 조선인민이 노예상태에 있음을 유념하여, 조선을 적당한 절차를 거쳐서 독립시키기로 결정했다"고 천명했다. 이 문장은 일본이 항복하더라도 조선을 일본의 항복과 동시에 독립시키지는 않겠다는 뜻이었다.

남조선주둔 미군최고지휘관 하지 중장도 1945년 8월 15일 우리 민족에게 주어진 것이 독립이 아닌 해방임을 분명히 밝혔다. 하지 중장은 45년 9월 12일 치안문화단체 대표들을 초청해놓고, 미군의 역할에 관해 설명했다. 하지는 "연합군(미군)은 조선에 독립을 주기 위하여 진주해 왔다. 이 연합군의 뜻을 다하기 위하여 조선 대중을 대표한 제위의 절대한 협조와 자중을 바라마지 않는 바이다. … 카이로회담에서 조선의 독립은 적당한 시기에 이루게 하겠다고 언약하였다. 독립은 하루 이틀에 되는 것도 아니고 수 주일에 되는 것도 아니다."라고 말했다. 하지의 발언은 45년 8·15가 '해방의 날'이지 독립의 날이 아님을 직설적으로 재확인해준 것이다.

광복절에 관한 언론의 오보에서 출발한 광복의 의미 혼란

1949년까지는 45년 8월 15일에 일어난 사건이 우리 민족의 광복이나 독립이 아닌 '해방'이었다는 점이 실상대로 우리 민족 구성원들 사이에서 보편적으로 인식되고 있었다. 그러한 사실은 46년 이후 49년까지 매년 해방기념일을 맞이하여 정치지도자와 정당들이 발표한 성명이나 기념식에서 발표된 기념식 연설 등에서 반복해서 확인되었다. 45년 8·15를 '광복의 날'이라고 잘못 표현하는 정치 지도자 정당은 단 하나도 없었다.

1949년 8월 15일의 기념식 명칭은 '대한민국 독립1주년 기념식'이었다. 이승만 행정부가 기념식의 명칭을 그와 같이 정한 데는 이유가 있다. 이승만 행정부의 국무회의는 49년 5월 24일 국경일에 관한 법률의 초안을 확정했다. 그 초안에 따르면, 3월 1일을 삼일절, 7월 17일을 헌법공포기념일, 8월 15일을 독립기념일, 10월 3일을 개천절로 정하기로 했다. 행정부는 이 초안을 6월 초에 국회에 회부했다. 행정부의 희망은 국회가 그 법률을 곧 통과시켜주면 7월 17일 헌법공포기념일부터는 제정된 국경일 법에 따라 기념식을 거행하는 것이었다. 그런 희망과는 달리 국회는 국경일 법을 깔아뭉갠 채 통과시켜주지 않았다. 국경일 법은 달랑 3개 조문으로 구성된 간단한 법률이어서 심의에 시간이 걸릴 이유가 전무한 것이었다. 당시 행정부와 국회는 매우 좋지 않은 관계에 있어서 국회가 몽니를 부린 것이었다.

국회가 국경일 법을 통과시켜주지 않자, 행정부는 대한민국이 주권국가를 건국하여 독립한 날인 48년 8월 15일을 기념하기 위해 국경일 법 초안대로 '대한민국 독립 1주년 기념식'을 거행했다. 49년 8월 15일에 즈음하여 모든 정당들은 그 날을 기념하는 성명을 발표했다. 성명들은 한 결 같이 그날을 대한민국 독립(또는 건국) 1주년, 해방 4주년 기념일이라고 명기했다. 모든 신문도 동일했다. 다만 일부 신문들은 기사에서 '정부수립 1주년'이라거나 '광복의 돌맞이'이라는 용어도 사용했다. 어느 정치 지도자나 정당이나 신문도 '해방 4주년'이 아닌 '광복 4주년'이라는 용어를 사용하지 않았다.

'광복'이라는 용어가 45년 8월 15일에 발생한 사건을 묘사하는 용어로 잘못 사용되기 시작한 것은 아이러니컬하게도 광복절이 국경일

대한민국 독립1주년 기념식. 1949년 8월 15일 중앙청 광장에서 대한민국 독립1주년 기념식이 거행되었다. 대한민국 독립1주년 기념식이 거행되었다는 것은 대한민국이 1년 전에 독립·건국되었음을 선포한 것과 같은 의미를 가진다. 이 독립기념일이 후일 광복절로 명칭 변경되었다.

로 공식 지정된 이후부터이다. 행정부가 제안한 국경일 법을 이유 없이 깔아뭉개고 있던 국회는 8월 15일이 지난 9월 21일에서야 국경일 법을 통과시켜주었다. 국회는 국경일 법을 통과시켜주면서 헌법공포 기념일을 제헌절로, 독립기념일을 광복절로 수정했다. 당시 광복은 곧 독립을 의미한다는 점이 정계의 상식이었기 때문에 독립기념일을 광복절로 수정한 것에 대해 행정부는 이의를 제기하지 않고 수용했다.

45년 8월 15일의 사건을 '광복'으로 생각하는 오류의 발단은 50년 8월 15일 대구의 한 극장에서 초라하게 거행된 제2회 광복절 기념식을 보도한 대구매일신문의 오보에서부터 시작되었다. '광복절'이라는 명칭으로 거행되는 최초의 기념식이자 제2회 광복절(광복 2주년)이 되는 50년 8월 15일의 기념식(1948년 8월 15일 대한민국이 미군정으로부터 독립했으므로, 제1회 광복절 또는 제1회 독립기념일은 1949년 8월 15일이 됨)은 전란 속에서 거행되었다. 다 아는 바와 같이, 50년 6월 25일 6·25전쟁이 발발했기 때문이다.

제2회 광복절 기념식은 정부가 피난 온 임시수도 대구의 한 극장에서 거행되었다. 행정부는 '제2회 광복절 기념식'이라고 명기했고, 대통령 기념사도 '금년 8·15경축일은 민국독립 제2회 기념일'이라고 분명히 밝혔다. 그러나 중앙정부 거행 제2회 광복절 기념식을 보도한 유일한 신문인 대구매일신문은 광복절 기념식을 보도하면서 '제5회 광복절 기념식'이라고 오보했다. 대구매일신문은 사이드 기사에서는 '해방 5주년 광복 2주년'이라고 보도하면서도 메인 기사에는 '제5회 광복절'이라고 엉뚱하게 보도했다. 심지어 그 기사의 제목을 '광복 6주년'으로 뽑았다.

대구매일신문의 메인 기사를 작성한 기자는 국경일 법을 정확히 알지 못했거나 광복을 해방과 같은 뜻인 것으로 착각하고 그 횟수마저도 잘못 계산했던 것이다. 실제로 국경일 법은 널리 홍보되지 않았으며, 국경일 법을 접했다 하더라도 광복절이 어느 날을 기념하는 국경일인지 정확히 알지 못했을 수 있다. 국경일 법은 국경일을 연도 표시 없이 기념할 월일만 기재하고 있어서, 광복절로 기념하게 된 8월 15일이 45년 8월 15일(해방일)을 말하는 것인지, 아니면 48년 8월 15일(독립일)을 말하는 것인지 알 수 없게 되어 있다. '광복'이란 용어의 의미를 정확히 알아야 광복절이 48년 8월 15일을 기념하는 날인 것을 알 수 있었던 것이다. 불행하게도 대구매일신문의 메인 기사를 작성한 기자는 광복의 의미를 정확히 알지 못했던 것이다.

독립을 뜻하는 '광복'이 해방을 뜻하는 말로 왜곡

광복3주년이자 해방6주년인 51년 8·15기념식은 임시수도 부산에서 초라하게 개최되었다. 역시 전란 중이라 이 기념식의 보도 또한 부정확하게 행해졌다. 행정부는 분명히 '제3회 광복절'이라 표기하고 대통령 기념사 역시 '독립 3주년'이라고 명시했지만, 신문들은 대구매일신문의 50년도 광복절 기사를 기준으로 삼아서인지 '제6회 광복절'로 보도했다. 행정부는 1954년 8·15기념식 때부터 신문보도의 횟수 계산을 추종하여 광복절 기념식의 횟수를 계산함에 있어서 45년을 기준으로 삼기 시작했다. 이렇게 해서 48년 독립을 기념하는 국경일로 제정되었던 광복절은 45년 해방을 기념하는 국경일로 둔갑해버린 것이다.

광복절이 45년 해방을 기념하는 국경일로 둔갑하면서 광복의 의미도 원래의 독립에서 해방으로 왜곡되었다. 독립을 의미하는 용어인 '광복'이 해방을 의미하는 용어로 왜곡된 것이다.

광복의 의미가 해방으로 왜곡된 것이 고착된 데에는 반공의식도 일조했다. 앞서 말한 바와 같이 '해방'은 '민족해방'이란 용어와 함께 공산주의자들이 도입한 용어이며, 45년 8·15전에는 항일독립운동세력 중 좌익들이 주로 선호하는 용어였다. 반면에 우익은 독립과 광복을 선호했다. 그런 반공의식이 작용하여 광복이 해방과 같은 의미로 왜곡된 후 반공성향이 강한 사람들은 45년 8·15를 '광복'이라고 말하기를 좋아했고, 좌익성향이 강한 사람들은 '해방'이라고 말하기를 좋아했다.

학술적인 논저나 교과서 등에서는 용어의 보다 정확한 의미를 살려서 45년 8·15를 해방이라고 말하는 경향이 강했다. 5공 정권 시기인 1982년 문교부는 향후 교과서에서 45년 8·15를 기술할 때 '광복'으로 기술하도록 지시했다. 이처럼 45년 8·15해방이 광복절로 둔갑하자 원래 광복절로 제정되었던 48년 8·15는 '정부수립기념일'로 격하되었다. 광복, 독립, 해방 등의 정확한 의미와 1945년 8월 15일에 우리 민족에게 주어진 사건의 본질을 알지 못하는 자들이 자행한 범죄(법)적 과오는 오늘날까지 지속되고 있다.

원래 건국·독립과 동의어였던 광복은 해방과 동의어로 왜곡되고, 광복에서 건국·독립의 의미가 삭탈된 오늘의 상황은 항일독립운동 과정에서 정립된 광복과 해방의 정확한 의미와는 부합하지 않는 억지다. '우리 민족은 1945년 8월 15일 일제로부터 해방되었고, 대한민국은 1948년 8월 15일 미국으로부터 광복되었다'는 것이 역사의 진실에 부합한 서술이다.

제2장

한반도는
무엇 때문에 분단되었는가?

정치적 분단 및 원인의 의미

한반도의 분단 때문에 우리 민족은 큰 고통을 겪고 있다. 우리나라 국민은 한반도의 분단으로 인해 오래 동안 극심한 고통을 겪어왔으면서도 한반도가 무엇 때문에 분단되었는가를 정확히 알지 못하고 있으며, 한반도의 분단 원인에 관한 잘못된 주장들이 널리 퍼져 있다. 한반도가 무엇 때문에 분단되었는가를 정확히 규명하기 위해서는 먼저 '정치적 분단'과 '원인'의 의미를 정확히 알아야 한다. 그렇지 않으면, 정치적 분단인 것을 분단이 아니라 하고 분단이 아닌 것을 분단이라고 착각할 수 있으며, 분단의 원인이 아닌 것들을 분단의 원인으로 오해할 수 있기 때문이다.

'정치적 분단'이란 하나의 영토 위에 존재하는 장기간 단일의 통치체에 의해 통치되어 온 정치단위가 복수로 분리되어 별개의 주권적 정치단위를 구성하거나 혹은 복수의 주권적 정치단위에 귀속되는 것을 의미한다. 한반도를 놓고 말하자면, 분단은 한반도라는 영토 위에 존재하는 장기간 단일한 통치체에 의해 통치되던 정치단위가 남·북한으로 분리되어 별개의 주권적 정치단위를 구성한 것을 말한다.

'원인'이란 어떤 사물이나 현상을 초래하는 데 있어서 필연적이고 우선적인 작용을 하는(가장 강력한 영향을 미치는) 요인을 뜻한다. 어떤 사물과 현상의 원인을 정확히 규명하기 위해서는 '원인'과 '유사원인(類似原因)'을 구별하는 것이 필요하다. 여기서 말하는 유사원인이란 얼핏 보기에는 원인처럼 보이나 실제에 있어서는 결과에 대해 필연적이고 우선적인 작용을 하지 않은 요인들을 말한다.

이상에서 서술된 '분단'과 '원인'의 정확한 의미를 토대로 해서 다시 정리해보면, '한반도 분단의 원인'이란 한반도에 두 개의 통치체가 만들어지도록 필연적이고 우선적인 작용을 한 요인을 말한다.

한반도 분단의 정확한 원인을 찾아내기 위해서는 이제까지 여러 연구자들이 제시한 한반도 분단의 원인에 관한 견해들의 타당성 여부를 살펴볼 필요가 있다. 한반도 분단 원인에 대한 기존의 분석들은 내인론(內因論: 우리 민족 내부의 요인이 한반도 분단의 원인이라는 주장), 외인론(外因論: 외부의 요인 또는 국제적 요인이 분단의 원인이라는 주장)으로 분류할 수 있다. 외인론은 다시 미국책임론, 소련책임론, 미·소공동책임론 등으로 세분할 수 있다.

내인론의 오류

한반도의 분단이 민족 내부의 원인들 때문에 초래되었다는 내인론을 주장하는 연구자들은 한반도 분단의 내적 원인으로 주로 다음 3가지를 열거한다. ① 민족 내부의 사상적 대립, ② 건국준비위원회, 좌우합작운동, 남북협상 등 일련의 좌우합작추구 운동의 실패, ③ 외세의 분할 점령에 편승하여 분단국가를 만들어서라도 정권을 잡으려 한 일부 정치세력의 획책 등이다.

내인논자들이 열거한 한반도 분단의 내인들이 한반도의 분단을 초래하는데 필연적이고 우선적인 작용을 했는지 여부를 하나씩 검토해 보자.

첫째, 식민지 시대 및 해방 후 우리 민족 내부에서 전개된 사상적 갈등은 한반도의 분단을 초래할 만큼 위력이 강하지 않았다. 어느 민족 또는 어느 나라 국민 내부에서 사상적 갈등–대립이 없는 경우는 없다. 그리고 민족 또는 국민 내부의 사상적 갈등–대립은 아무리 심각해지더라도 그 자체만으로는 국가를 일시적으로 분열시킬 수는 있어도 항구적으로 분단시키지는 않는다. 외세가 개입하지 않는 한 내란 등 격렬한 대결을 겪고서도 결국은 하나의 국체를 유지한다. 20세기의 세계사를 통틀어 볼 때, 하나의 국민(혹은 민족) 내부에서 발생한 사상적 갈등–대립이 국가의 분단을 초래하는데 필연적이며 우선적인 작용을 한 사례는 단 한 건도 없다. 스페인, 프랑스, 이탈리아, 그리스 등에서는 우리의 경우보다 훨씬 심각한 사상투쟁이 전개되었으나 국토가 분단되지는 않았다.

둘째, 건국준비위원회, 좌우합작운동, 남북협상 등 좌우합작을 추구하는 노력들의 실패가 한반도 분단을 초래하는데 필연적이며 우선적인 작용을 했다고 주장하는 것은 건준, 좌우합작운동, 남북협상의 실상을 정확히 알지 못한데서 초래된 타당치 않은 주장이다.

건준은 좌익세력과 중도파가 연합하여 만든 좌익주도의 단체일 뿐, 좌우익세력이 진지하게 협의하여 구성한 민족통일전선기구가 아니다.

건준에는 우익진영이 불참했다. 건준은 진정한 의미의 좌우합작 추구 기구가 아니기 때문에 건준이 성공했다 해서 좌우합작이 이루어질 수도 없었고, 분단을 방지하는 작용을 할 수 없었다. 뿐만 아니라, 건준은 실패한 것이 아니고 공산주의자들의 주도하에 조선인민공화국으로 계승되었다.

좌우합작운동도 그 명칭과는 달리 진정한 의미의 좌우합작을 추구하기 위한 운동이 아니었다. 1946년 5월부터 10월까지 남한에서 전개되었던 좌우합작운동은 신탁통치에 반대하는 이승만과 김구의 정치적 영향력을 약화시키고 미군정과 신탁통치계획에 협조할 새로운 세력을 형성하기 위하여 미국이 주선·조종·지원하여 등장하게 된 것이다. 이러한 성격의 좌우합작운동이 남한의 좌익과 우익을 진정으로 합작시킬 가능성은 전무했고, 설혹 그런 좌우합작운동이 성공했다 하더라도 그것이 한반도 분단을 방지할 리 만무했다.

남북협상도 겉으로는 한반도의 분단을 방지하기 위한 노력인 것처럼 선전되었지만, 그 내용은 남한에서의 정부수립을 저지하는 것을 목적으로 한 것이었다. 한반도의 분단을 방지하기 위한 남북협상이라면 당연히 남북한지역의 주도적 정치세력들이 다 같이 참여해야 할 것이다. 그러나 1948년의 남북협상에는 남한의 주도적 정치세력이 배제된 채, 북한의 좌익정권 담당세력과 남한의 좌익세력 및 남한 선거실시에 반대하는 중도파와 감상적 민족주의세력들만 참여했다. 남북협상은 남한의 주도적 정치세력이 배제된 것이었으므로 한반도의 분단을 방지하는 효과를 발휘할 수 없었다.

셋째, 외세의 분할점령에 편승하여 분단국가를 만들어서라도 정권을 잡으려는 일부 정치세력이 분단의 원인이 되었다는 주장은 당시 전개되었던 실제상황과 부합하지 않는 주장이다. 해방정국의 남북한에서 외세의 분할점령에 편승하여 정권을 잡으려는 세력들이 존재하기는 했지만 그들이 한반도 분단에 필연적이고 우선적인 작용을 한 것은 아니다. 그들은 자주적으로 행동하는 사람들이 아니라 한반도를 분할 점령한 외세가 시키는 대로 행동하는 사람들이었기 때문에 외세가 한반도를 분단하려 하지 않을 경우에는 그들의 행동도 분단지향적일 수가 없다. 따라서 그러한 사람들의 존재와 활동은 한반도 분단의 초래에 필연적이며 우선적인 작용을 할 수 있는 독립적 요인이 될 수가 없는 것이다.

요컨대, 우리 민족 내부의 문제들은 한반도 분단을 지원하는 촉진 요인 정도는 되었지만 분단의 원인이 될 수는 없었다.

미국의 38선 설정은 한반도 분단의 원인이 아니다

한반도 분단 외인론은 미국책임론, 소련책임론, 미·소공동책임론으로 세분된다. 이중 어느 것이 한반도 분단 원인에 대한 타당한 설명일까? 먼저 미국책임론부터 검토해보자.

미국책임론의 가장 대표적인 주장은 미국이 38도선을 군사작전분계선으로 정하여 한반도를 미국과 소련이 분할 점령하자고 제안한 것이 한반도 분단의 원인이라는 것이다.

미국은 1943년 경부터 일본이 패망한 후 한반도가 중국이나 소련의 지배지역이 되는 것을 방지하기 위해 한반도에 대한 4대국 공동신탁통치 실시를 구상했다. 미국은 당초 한반도를 미·소·영·중 4개국

군대가 분할 점령하도록 할 계획이었으나 일본 패망 직전 영국과 중국이 한반도에 파견할 병력이 없어서 소련과 미국만이 한반도 분할점령에 참여하게 되었다.

일본의 항복 선언이 임박하자 소련은 일본에 대해 서둘러 선전포고하고 한반도 북부로 진격하기 시작했다. 이 시점에서 미국은 일본 항복 후 소련군이 한반도 전체를 점령하는 사태를 막기 위한 조치를 긴급히 강구해야 했다. 긴급하게 강구한 조치가 북위 38도선을 군사작전분계선으로 하여 미국과 소련이 한반도를 분할점령하자고 소련에 제안하는 것이었다. 이러한 미국의 제안에 대해 소련이 동의했다.

미국이 제안하고 소련이 동의하여 38선을 두 나라 군대 간의 군사작전분계선으로 설정한 것이 한반도 분단을 초래했다는 주장은 군사작전분계선의 성격으로 보나 군사작전분계선이 설정된 다른 나라에서의 예에 비추어보면 타당하지 않다는 것을 곧장 알 수 있다.

군사작전분계선이란 인접지역에서 작전을 전개 중인 비적대적 병력 간에 우발적 충돌을 방지하기 위해 작전 구역을 구분하는 경계선이다. 이 경계선은 군사작전 진행에서만 규제력을 가지며, 군사작전이 진행 중이지 않는 시간에는 민간인의 통행을 규제하지 않는 경계선이다.

따라서 이 군사작전분계선은 정치적 분단을 초래하지 않는다. 2차 대전 직후 미국과 소련군이 군사작전분계선을 설정하고 분할 점령한 국가는 한국, 독일, 오스트리아 3개국이다. 3개 국 가운데 오스트리아는 미소가 분할 점령했음에도 불구하고 정치적으로 분단되지 않았다. 1980년대 중동과 유럽의 분쟁국가(레바논, 보스니아 등)에 다국적 평화유지군이 파견되어 각국 군대들 사이에 군사작전분계선을 설정해놓고 분할 점령을 했으나 그 군사작전분계선 때문에 정치적 분단이 초래된 일은 없었다. 2000년대에 진행된 이라크전쟁이나 아프가니스탄전쟁에서 복수의 국가들이 군사작전분계선을 설정하고 분할 점령했으나 그런 군사작전분계선을 경계로 인해서 정치적 분단이 초래되지 않았다.

군사작전분계선을 경계로 한 분할 점령이 분단으로 전환되려면 분할 점령의 경계선이 주민들의 생활분단선 및 통치분단선으로 변질되고 그런 상태에서 경계선을 사이에 두고 주민들 사이에 배타적 분위기가 조성되는 추가적 조치들이 취해져야 한다. 이러한 추가적 조치들이 취해지지 않는 한 군사적 분할 점령은 정치적 분단을 초래하지 않는다.

군사작전분계선을 경계로 한 분할 점령이 분단으로 심화되려면 그런 중대한 추가조치들이 취해져야 되고, 미국이 한반도의 분할 점령 경계선으로 38선을 제안한 것은 한반도 분단을 초래하는데 있어서 필연적이고 우선적인 작용을 할 수 없는 조치이다. 따라서 한반도에 북위 38선이라는 군사분계선을 설정한 미국의 조치는 한반도 분단의 원인이 되지 않으며, 미국은 한반도 분단의 책임국이 아니다.

한반도의 분단 원인과 관련하여 미국책임론을 주장하는 사람들 가운데 일부는 미국이 조선인민공화국(인공)을 부인하는 조치를 취한 것이 한반도 분단의 원인이 되었다고 주장한다. 이들은 인공(조선인민공화국, 이하 인공)이 좌·우·중도의 모든 정치세력이 참여한 연립정부이고 미군 진주 전에 사실상의 정부로서 기능하고 있었다고 주장하면서, 미군이 인공을 공식적으로 인정했었더라면 한국의 독립과 통일은 초기 단계에서 성취될 수 있었을 것이라고 주장한다.

이러한 주장은 인공에 대한 기초적 정보조차 모르는데서 비롯되는 부당한 주장이다. 그런 주장을 하는 사람들이 인공을 모든 사상경향의 정치세력이 다 참여한 연립정부이고 미군의 진주 전에 사실상 정부로서 기능하고 있었던 단체로 말한 것은 '참여'와 '명의도용'을 구분할지 모르고 정부와 과도적 치안유지기구 간의 차이를 정확히 모르는데서 비롯된 잘못된 주장이다.

인공의 간부명단에 들어 있는 우익진영 및 중도파 인사들의 이름은 모두가 인공 선포 주도세력인 공산당에 의해 명의가 도용된 것에 불과하다.

미군 진주 전에 인공이 사실상 정부 기능을 수행했다는 주장도 실제와 다른 주장이다. 인공은 공산당이 기습적으로 선포한 단체이며, 공산당은 자기들이 주도했던 건준의 지방조직을 인공의 지방조직으로 접수했다. 인공은 서울에서는 아무런 기능을 발휘하지 못했고 농촌지역에서는 해방 직후 건준 지방조직이 행하던 치안유지 활동을 인수하여 미군 병력이 그 지역에 도착할 때까지 임의적으로 치안유지 활동을 전개했다.

인공은 모든 정치세력이 사상의 차이를 초월하여 참여한 기구도 아니고 정부의 구조를 갖춘 단체도 아니었다. 미군정이 정부로 인정하지 않은 것이 당연하다.

뿐만 아니라, 설사 미군정이 인공을 정부로 인정해주었다 하더라도 그로 인해 분단이 방지될 가능성은 없었다. 북한 주둔 소련군과 북조선 공산당이 인공을 인정하지 않았기 때문이다.

우리 민족 내부문제들이나 미국의 38선 획정 및 인공 부인이 한반도 분단의 원인이 아니라면, 한반도 분단은 누가 자행한 어떤 조치 때문에 초래된 것일까?

소련의 38선 봉쇄가 한반도 분단의 원인이다

한반도의 분단은 단순한 군사작전분계선이었던 38선이 생활의 분단선 및 통치의 분단선으로 변질되면서 시작되었다. 그렇다면 38선은 언제 누가 취한 어떤 조치에 의해 생활의 분단선 및 통치의 분단선으로 변질되었는가?

군사작전분계선인 38선이 생활의 분단선 및 통치의 분단선으로 변질된 것은 소련군이 38선을 봉쇄하여 남북한 간의 통행·통상·통신을 차단하면서 시작되었다. 1945년 8월 9일부터 한반도의 북부로 진격하기 시작하여 일본이 항복을 선언한 15일 청진까지 남하했던 소련군은 일본의 항복 선언과 함께 휴식에 들어갔다. 소련군은 8월 21일부터 북한지역에 대한 점령활동을 재개했다. 소련군은 북한지역을 점령함에 있어서 북쪽으로부터 남쪽으로 점진적으로 점령하는 순서를 택하지 않고 북한의 최남단에 해당하는 38선 지역부터 먼저 점령한 다음 그 이북지역을 점령하는 순서를 따랐다. 소련군은 8월 23일부터 28일까지의 기간에 서해안에서부터 동해안에 이르는 38선에 연접한 북한지역의 교통요지를 모두 점령했다. 소련군은 24일과 25일 38선 이남과 이북을 연결하는 철도들(경원선과 경의선)을 차단했고, 금천, 신막, 연천, 평강, 양양 등 38선 연접 지역에 경비부대를 배치하여 도로 통행을 차단했으며, 9월 6일에는 38선 이남 지역과의 통신을 완전 차단하고 우편물의 교환을 금지했다. 이로써 38선을 경계로 남북한 간에 인적 왕래, 물적 교류, 통신이 모두 차단되었다.

소련군의 38선 봉쇄는 미군이 남한에 진주하지도 않은 상황에서 일방적으로 취해졌다. 미군은 9월 8일부터 남한에 진주하기 시작했다. 소련군의 군사작전분계선 봉쇄 조치는 2차 대전 종전 무렵 미소가 분할 점령한 한국, 독일, 오스트리아 3개국 가운데서 한국에서만 취한 조치이다. 소련군은 독일에서는 분할 점령 몇 년이 지난 후 봉쇄했고(그나마 봉쇄의 정도는 한국에서의 그것에 비해 크게 온건한 것이었다), 오스트리아에서는 1955년 소련군이 철수할 때까지 경계선을 봉쇄하지 않았다. 오로지 한국에서만 점령과 동시에 군사작전 분계선을 봉쇄했다.

뒤늦게 남한에 진주한 미군은 38선 봉쇄 해제를 위해 소련과의 협상을 거듭 시도했다. 주한미군사령관 하지는 소련군의 38선 봉쇄가 남북한 간의 행정 분단을 초래할 우려가 있음을 지적하면서 1945년 10월부터 1946년 5월까지 4차례나 38선 봉쇄 해제와 남북한의 행정 통일을 기하기 위한 협상 개최를 제의했다. 소련군은 그런 제의를 모두 묵살했다.

소련군은 이처럼 38선을 봉쇄한 후 북한지역에서 남한지역의 미군 통치와는 질적으로 상이한 통치를 실시하였다. 소련군은 각 도와 시·군 단위 및 대규모 공장이나 산업시설에 군경무사령부(위수사령부)를 설치해놓고, 소련군에 동조하는 한국인들의 자생 치안조직과 협조하여 북한 전역을 무력으로 통제하고, 소련정책에 반대하는 사람들을 '치안사범'으로 직접 탄압하였다. 소련군은 언론 출판 결사 등의 자유를 부정했다. 소련군의 민정장교들과 요원들은 장차 북한의 공산화를 추진하고 공산주의정권의 책임을 맡을 북한지역의 독자적 공산당을 조직하고, 각급 인민위원회를 공산정권 수립에 부합하도록 조직·개편하며, 소련군 정치요원들을 각급 인민위원회의 고문으로 배치하여 인민위원회가 행하는 행정을 지휘했다.

소련군은 1945년 말까지 공산화를 추진할 북한 주민의 정부 구성에 필요한 조직적·인적 토대를 확보했다. 그러한 토대가 마련되자 소련군은 북한 공산세력에게 북한의 공산화를 추진하도록 지시했다. 소련군과 북한 공산주의세력은 북한의 공산화를 추진하기 위해 1946년 2월 8일 북조선임시인민위원회를 설립했다.

북조선임시인민위원회는 분단을 완성한 북한의 단독정부

북조선임시인민위원회는 소련군이 점령한 북한지역을 남한으로부터 분리시키는 한반도 분단을 위한 북한지역의 단독정부이다. 북조선임시인민위원회는 공식적으로는 스스로를 '정부'라고 말하지 않았다. 임시인민위원회를 공식적으로 '정부'라고 표현할 경우, 북한에 단독정부를 설립했다는 비판을 받게 될 것이므로 '정부'라는 용어 대신 '중앙행정주권기관'이라는 이상한 용어를 사용했다. 그러나 객관적으로 볼 때 법령을 결정하고 집행하는 중앙행정주권기관의 학술적 명칭은 '정부'밖에 없다.

북조선임시인민위원회가 북한지역의 임시정부라는 점은 그것을 주도한 공산주의자들이 스스로 인정했다. 북조선임시인민위원회의 설립 직후에 개최된 북조선공산당 확대집행위원회에서 채택된 「당의 정치노선 및 당사업 총결과 결정」은 임시인민위원회를 '우리 당이 영도하는 정권'이라고 표현하고 있다. 또한 임시인민위원회 성립 경축행사에서는 임시인민위를 '우리의 정부'라고 선전했다. 훗날 북한의 공식 역사책도 북조선임시인민위원회를 '인민민주주의독재정권'이라고 설명했다.

북조선임시인민위 설립과 함께 북한에서는 '반제반봉건민주주의혁

평양의 북조선임시인민위원회 청사에 걸린 북조선임시인민위원회 성립 경축 현수막. 현수막에는 '북조선임시인민위원회는 우리의 정부이다'라고 쓰여있다. 북조선임시인민위원회가 북한의 단독정부임을 스스로 인정하는 조치이다.

명'이 '민주개혁'이라는 이름으로 적극적으로 추진되었다. 그들이 말하는 반제반봉건민주주의혁명 또는 민주개혁이란 토지개혁, 산업국유화, 사회주의 교육 실시, 공산화에 동원될 인력 양성, 반공인사 숙청 등을 비롯한 공산화 추진 작업이었다.

북조선임시인민위의 설립으로 북한에 별도의 정부가 만들어지고, 북한지역의 민주개혁으로 남한과 북한은 이질적인 사회가 되었다. 이로써 남북한은 생활방식이 완전히 다른 정치단위가 되었다. 한반도가 두 개의 배타적 통치단위로 분리된 것이다. 다시 말해서 한반도의 정치적 분단이 완성된 것이다. 남·북한 두 지역 중 어느 한 쪽만의 생활방식이 질적으로 변하면, 두 지역의 분단은 완성될 수밖에 없다.

소련군에 의한 38선 봉쇄와 북조선임시인민위원회 설립이 한반도 분단에 필연적이고 우선적인 작용을 했음이 명확하다. 한반도 분단의 원인은 소련군의 38선봉쇄와 북조선임시인민위의 설립이다. 한반도 분단의 책임자는 소련이다.

그렇다면 1948년 8월 15일의 대한민국 건국은 한반도 분단에 어떤 작용을 했는가? 그것은 이미 완성된 한반도 분단을 피동적으로 수용하여 고착시킨 작용을 했다.

제3장

건준과 인공의 정체

총독부의 치안권 인계 공작에서 발단된 건준

    해방3년의 정치사에 관한 도서들의 대부분, 그리고 조선건국준비위원회(건준)와 조선인민공화국(인공)에 관한 논문들의 대부분은 두 단체가 좌·우·중의 모든 정치세력들이 참여한 민족통일전선적 단체라고 말하고 있다. 고등학교 한국사 교과서들도 모두 다 그렇게 서술하고 있다. 건준과 인공은 정말로 당시의 모든 정치세력들이 참여한 단체였을까? 이 질문에 대한 정확한 해답을 찾기 위해서는 두 단체의 결성과정을 정확히 알아야 한다. 각종 자료들을 종합적으로 참고하여 건준의 결성과정을 정리해보면 다음과 같다.

    건준은 일본의 한반도 식민통치기관인 조선총독부의 일본인 고위관리들의 한국인에 대한 치안권 인계 구상에서 발단했다. 소련이 대일 선전포고를 하고 한반도 북단에 진입하기 시작한 8월 9일부터 조선총독부의 일본인 고위관리들은 일본이 조만간 항복을 선언할 것으로 예측했다. 그러한 예측은 그들에게 일본이 항복한 후 한반도에 거주하고 있는 일본인들의 생명과 재산을 어떻게 보호할 것인가에 대한 걱정으로 연결되었다.

일본이 항복을 선언하게 되면 한반도는 갑자기 무정부상태가 되어, 한국인들이 폭동을 일으킬 가능성이 컸다. 한국인들이 폭동을 일으켜 일본 관공서와 일본인들을 공격하면 일본은 곤란한 처지에 빠지게 될 것이다. 폭동을 일으킨 한국인에 대해 총격을 가할 수도 없고, 그렇다고 가만히 앉아서 폭동을 일으킨 한국인들에게 생명과 재산을 빼앗길 수도 없는 노릇이었다.

총독부의 엔도 정무총감과 니시히로 경무국장은 그에 관한 한 가지 계책을 마련했다. 대중의 신망이 높은 한국인 지도자를 물색하여 그에게 치안유지권을 넘겨주어 치안을 맡기자는 것이었다. 대중의 신망이 높은 한국인 지도자가 치안유지권을 맡아서 한국인들에게 평화 유지를 호소하면 한국인들이 폭동을 일으키지 않을 것이고, 폭동을 일으키더라도 한국인이 진압을 하게 되면 한국인과 일본인 간의 직접 대결은 회피될 수 있을 것이기 때문이다.

일본인 관리들은 당시 엔도와 교류를 많이 하고, 한국인들 사이에서 인기도 괜찮은 여운형을 선택했다. 여운형은 8월 11일쯤 치안유지권에 관한 제의를 받았고, 홍증식, 정백, 이강국, 최용달 등 서울에 거주하던 공산주의자들과 접촉하며 일본 관리들의 제의에 어떻게 대응할 것인지를 협의했다. 그들은 공산주의자들의 단골수법인 민족통일전선체를 만들어 치안유지권을 접수할 것과 그 단체를 치안권 행사기구를 초월한 건국준비기구로 만들기로 작정했다.

그러한 구상에 따라 여운형은 8월 12일부터 우익 진영의 대표적 인물인 송진우, 중도 진영의 대표적 인물인 안재홍 등과 접촉했다. 송진우는 중국에 임시정부가 엄연히 존재하는데 그것을 외면하고 물러가는 일본인들로부터 정권을 계승 받을 이유가 없다는 이유로 완강히 거부했다. 안재홍은 여운형의 제의를 받아들여 참여키로 했다.

여운형은 8월 15일 아침 엔도 및 니시히로와 회담하여 치안유지권을 인수했다. 이날 저녁에 여운형, 정백, 홍증식, 안재홍 등이 회합하여 건준을 결성했다. 16일 아침부터 건준의 발족 사실을 알리고 건준 지도부의 포고에 복종할 것을 촉구하는 전단을 서울에 살포했다. 이러한 사실만 보아도 건준은 15일 이전부터 준비되었다는 점을 쉽게 알 수 있다. 당시의 열악한 인쇄 시설을 고려할 때 사전 준비 없이 15일 저녁에 건준이 결성되었다면 16일 아침에 그런 전단을 살포하는 것이 불가능한 일이기 때문이다.

여운형은 16일 오후 1시 거주지 인근에 있는 휘문중학교 교정에서 건준 발족 사실을 알리는 군중연설을 했고, 안재홍은 건준 부위원장 자격으로 경성방송국에 가서 건준 발족 사실과 건준의 활동계획을 알리는 방송연설을 했다. 안재홍 연설의 주요 내용은 다음과 같다

"각계를 대표하는 동지들은 조선건국준비위원회를 결성하고 신생 조선의 제건설문제에 관하여 가장 구체적이고 실제적인 준비공작을 시작하게 되었습니다. … 본 건국준비위원회 소속 경위대를 두고 일반질서를 잡겠습니다. … 무경대, 즉 정규병의 군대를 편성하여 국가질서를 도모합니다. … 각지의 식량배급 그 외 물자배급 태세도 현상을 유지하면서 진행하겠습니다. … 행정기관을 접수할 날도 멀지 않을 것이지만 일반관리는 직장을 지키면서 충실히 복무할 것을 요구합니다."

안재홍의 연설 내용은 새로 수립된 정부의 시정방침 발표와 같은 느낌을 주는 것이었다. 이런 내용의 방송이 16일 하루 동안에 세 차례나 시행되었다. 해방된 조국에서 한 역할 해보려는 생각을 가진 전국 각지의 유지들은 사상의 차이를 초월하여 건준의 지방조직을 앞 다투어 결성했다. 새나라 건설에 참여할 수 있는 절호의 기회를 놓쳐서는 안 된다는 생각에서 적극 참여했다.

좌익과 중도계만 참여한 건준

오늘날 건준이 좌·우·중도세력이 다 참여한 민족통일전선체라고 주장하는 사람들은 이처럼 건준 지방조직에 좌익 인사들은 물론이고 우익과 중도계 인사들이 다수 참여한 것을 그 논거로 제시한다. 그러

조선건국준비위원회 회의 장면. 전면 중앙에 서있는 사람이 여운형이다.

나 어떤 전국적 조직에 어떤 세력이 참여했는지 여부를 판단하는 기준으로 중앙조직에 그 세력이 참여했는지 여부를 따져볼 것인지 아니면 지방조직에 그 세력이 참여했는지 여부를 우선적인 기준으로 삼을 것인지를 생각해봐야 한다. 말할 것도 없이, 중앙조직에 참여했는지 여부를 우선적 기준으로 삼아야 할 것이다.

우익은 건준의 지방조직에는 참여했지만 중앙 조직에는 전혀 참여하지 않았다. 일부 좌경 연구자들은 우익진영이 건준 중앙조직에 참여했음을 주장한다. 그들은 8월 22일 발표된 건준 중앙 간부진 명단에 우익진영의 김준연(기획부장)과 함상훈(문화부장대리)의 이름이 들어있다는 점을 논거로 제시한다. 그러나 김준연은 자신의 저서 『독립노선』에서 정백으로부터 건준 참여 제의를 받고 불참의사를 밝혔다고 명기하고 있으며, 여운형의 추종자인 이만규도 그의 저서 『여운형투쟁사』에서 김준연이 여운형의 참여 권유를 거부했다고 밝혔다. 함상훈도 김준연과 긴밀한 동지였으므로 김준연과 행동을 같이 했을 것이 분명하다. 김준연과 함상훈의 이름은 도용된 것이다. 이렇게 볼 때 우익진영은 건준에 불참한 것이 확실하다.

건준에 우익 진영만 불참한 것이 아니다. 8월 15일 건준 결성 때 참여했던 중도 진영도 9월초 건준에서 탈퇴했다. 안재홍은 중도 진영을 이끌고 건준에 참여했으나, 건준의 헤게모니를 공산당이 장악하고 위원장 여운형도 공산당에 이끌려 가고 있어서 중도진영이 설 자리가 없다고 판단하여 9월 초 건준에서 탈퇴했다. 그에 따라 9월초부터 건준은 완전한 좌익만의 결사가 되었다.

이처럼 건준은 당시 서울에 거주하는 우리 민족의 지도자들과 아무런 사전 협의도 없이 조선총독부와 여운형, 여운형과 재경 공산주의자들 사이에서만 공작되어 기습적으로 결성되었으며, 우익진영은 당초부터 불참했고 중도진영은 중간에 탈퇴한 좌익들만의 단체였던 것이다.

인공은 박헌영의 작품

건준을 기습적으로 결성했던 좌익은 조선인민공화국(인공) 수립을 또다시 기습적으로 선포했다. 인공 선포는 박헌영이 주도했다. 인공은 박헌영과 조선공산당이 기획하고 연출한 정치적 연극에 불과했다. 인공의 선포는 철저히 조선공산당의 지도자인 박헌영에 의해 계획되고 공산당 내 박헌영파에 의해 실천되었다.

박헌영은 건준 창설 초기에는 건준에 참여하지 않았다. 그는 해방 당일까지 광주의 한 벽돌공장에 숨어서 지하활동을 전개하고 있었기 때문에 여운형이 접촉할 수가 없었다. 박헌영은 8월 18일 경에 서울에 왔으며, 소련 영사관과 접촉하여 조선공산당 재건의 책임자가 자신임을 인정받았다. 그러한 인정을 받은 직후 박헌영은 지하에서 투쟁을 계속했던 자기의 추종자들을 중심으로 조선공산당을 재건했다.

공산당을 재건한 박헌영은 여운형과 접촉하여 건준에 재건파 공산당원들을 대폭 참여시키도록 요구했다. 아울러 여운형과 함께 건준을 창설했던 서울 거주 공산주의자들은 대부분이 일제말기 투쟁전선에서 이탈한 자들이기 때문에 건준의 중요간부직에서 물러나야 한다고 주문했다. 여운형은 박헌영의 주장을 일부 수용했으나 전폭적으로 수용하지는 않았다. 박헌영의 주문대로 하게 되면 건준 창설 동지들을 물러나게 해야 하고, 그렇게 되면 여운형 자신이 건준의 허수아비 위원장으로 전락할 것이기 때문이었다.

박헌영은 조선공산당 재건파가 전권을 행사할 수 있으면서, 좌우진영의 지도급 인사들의 명단이 고루 기록된 새로운 민족통일전선체를 조직하고자 했다. 그것이 조선인민공화국(인공)이었다. 박헌영과 그 추종자들은 편의상 건준을 모태기관으로 해서 인공을 결성한 다음, 건준을 해체시키기로 했다.

그러나 그들은 건준에서 인공문제를 협의하도록 제안한 바도 없었고 건준의 위원장이며 인공의 중앙인민위원장으로 내정된 여운형과도 사전 협의하지 않았다. 철저히 비밀공작을 통해 인공 선포를 추진했다. 박헌영은 인공을 선포하기 이틀 전인 9월 4일에야 여운형에게 인공 추진을 통고했고, 인공을 선포하는 회의도 밤중에 좌익계 군사단체인 치안단의 본부가 있는 옛 경기여고 강당에서 치안단의 경비 하에 개최했다.

인공 주도세력은 인공 선포가 이루어진 9월 6일 밤 경기여고 강당에 모인 사람들을 건준의 지정추천을 받은 '해내 해외 각층 각계를 대표하는 인민대표들'이라고 주장했다. 건준에서 인공에 대한 아무런 논의도 없었으므로 '건준의 지정추천을 받은'이라는 말은 애당초 성립될 수 없는 허구이다. 건준이 인공문제를 논의도 하지 않았으면서 인공 선포 회의에 참여할 인사들을 지정추천했다는 것은 누구도 납득시킬 수 없는 거짓말이다.

또 그날 밤 회의에 참석한 사람들이 '해내 해외 각층 각계를 대표하는 인민대표들'이라는 주장도 명백한 거짓말이다. 우선 국내외 각계 각층을 대표하는 사람들이라면 국내외 각계 각층에서 공식적으로건 비공식적으로건 회의에 파견할 대표를 인선하는 작업이 있었어야 할 것인데 그런 일이 전혀 없었다. 뿐만 아니라 당시 중국의 중경에 있던 대한민국 임시정부를 대표한 인사는 물론이고 국내에 있던 우익진영 및 중도파를 대표한 인사들이 그 회의에 전혀 참석하지 않았고 초청받은 일도 없다.

그 날 밤 경기여고 강당에서 개최된 인공 선포 회의에 참석한 회중은 조선공산당의 박헌영파와 그들의 휘하에 있는 경인지역의 노동자들이었다. 그리고 인공의 간부로 내정된 여운형 등 건준 간부들이었다. 이러한 사실에 비추어 볼 때, 인공이 민중의 뜻에 따라 선포된 기구가 아니라는 것은 더 말할 나위 없이 분명하다. 그럼에도 불구하고, 인공은 자기들을 '3천만 조선인민의 총의에 입각한 정부'라고 허위 선전했다.

인공은 좌익만의 단체

일부 연구자들은 9월 6일 밤에 발표된 인공의 중앙의원 명단이나 9월 17일에 발표된 인공의 부서책임자(각료에 해당) 명단에 우익진영 인사들의 이름이 포함된 것을 근거로 인공에 우익진영 인사들이 참여한 것처럼 주장하고 있다. 인공의 간부 명단에 이승만·김구를 비롯한 우익진영 인사들의 이름이 포함되어 있는 것은 사실이다. 그러나 그러한 인사들의 이름이 포함된 것은 당사자들과의 아무런 사전협의 없이 이루어진 것이다. 좌익분자들이 발표한 인공간부 명단에 포함된 우익진영 인사들 가운데 사후에라도 그에 동의한 사람은 단 한명도 없었다.

좌익분자들이 인공간부의 명단에 우익진영 인사들의 이름을 일방적으로 기입해 넣은 것을 근거로 인공에 좌우의 모든 정치세력이 참여했다고 주장하는 것은 사리에 맞지 않는 억지임이 분명하다.

이상과 같이 볼 때, 건준과 인공이 민중의 의지를 반영하여 조직된 것이며 좌·우·중도의 모든 정치세력이 참여한 민족통일전선이었다는 주장은 실제와 전혀 다른 거짓 주장임이 분명하다. 건준과 인공은 민족통일전선기구와는 거리가 먼 좌익통일전선기구에 불과했다.

건준과 인공이 좌익만의 통일전선체라는 점은 그들의 해산과정을 보면 한층 더 확실해진다.

인공이 선포된 다음날 여운형은 건준 중앙기구 참여자 전원회의를 개최했다. 그 자리에서 여운형은 건준을 존속시켜 인공과 협력해서 나라 건설을 추진하자고 말했다. 건준은 건국을 준비하는 모임이고, 형식상 그것을 모태로 하여 인민공화국이 설립되었으니 건준은 존재해야할 이유가 없어졌다. 그러나 여운형 추종자들은 인공이 박헌영과 조선공산당 재건파만의 기구임으로 인공에서 박헌영파에 일방적으로 끌려 다니는 것이 싫어서 그러한 주장을 했던 것이다.

좌익 내 여운형파의 이러한 입장 고수로 건준이 쉽게 해체되지 않자, 박헌영파는 건준의 지방조직을 먼저 장악한 후 그 지방조직들로 하여금 건준 중앙기구를 향해 건준 해산을 요구하는 전술을 취했다. 공산당 재건파는 많은 인원과 강력한 투쟁력으로 인해 건준 지방조직들의 주도권을 장악했다. 중앙기구의 일부분만을 장악하고 있는 여운형파는 팔다리가 없는 머리통의 일부만 남은 꼴이 되었다.

여운형파는 결국 공산당의 압력에 굴복했다. 인공·건준 연석회의를 개최하여 결론을 내리자는 공산당의 제안을 수용했다. 9월 26일 개최된 인공·건준 연석회의는 압도적 다수 지지로 건준의 발전적 해소를 결의했다. 이러한 건준 해산과정에서 극소수의 지방조직을 제외하면 우익진영 또는 중도계의 저항은 없었다. 애당초 우익진영은 건준 중앙조직에 불참했고, 건준의 지방조직에 참여했던 우익 인사들도 건준 중앙조직이 좌익통일전선체의 모습을 드러내자 건준 지방조직에서 탈퇴해버렸기 때문이다. 중도계도 9월초 안재홍이 건준을 탈퇴한 것에 동조하여 대부분이 탈퇴했기 때문에 인공의 강압에 따른 건준 해산에 대해 저항하지 않았다.

인공의 해산

인공의 해산과정은 인공이 공산당의 조직이었음을 더욱 선명히 드러낸다. 인공은 스스로 '3천만 조선인민의 총의에 입각한 정부'라고 자처했기 때문에 미군정과 양립할 수 없었다. 하나의 영토에는 하나의 정부만 존재할 수 있기 때문이다. 미군은 인공에 대해 조선인민공화국이란 명칭에서 '국'자를 빼고 정부인 것처럼 행세하지 않으면 인공의 자유로운 활동을 용인해주겠다고 통고했다. 인공은 그러한 미군정의 주문을 거절했다. 게다가 인공의 일부 지방조직들은 미군이 도착하지 못한 농촌이나 산간지역에서는 지방자치 행정기구인 것처럼 행세했다. 인공의 이러한 태도는 미군정으로 하여금 인공에 대한 강제 해산 조치를 취하도록 만들었다.

미군정 사령관 하지는 45년 12월 12일 "정부인 것처럼 행세하는 정치단체의 활동은 여하한 경우이든지 모두 불법적인 활동으로 취급될 것"이라고 선언하고 곧 바로 인공의 중앙과 지방조직을 경찰력을 동원하여 해산하려는 움직임을 보였다. 미군의 강제해산 움직임에도 불구하고 인공은 해산하지 않고 버텼다.

버티던 인공은 45년 말 북한주둔 소련군이 인공을 인정하지 않는다는 입장을 분명하게 나타내고, 한반도에 대한 신탁통치 실시를 내용으로 하는 모스크바협정이 발표되면서 신탁통치 찬·반을 둘러싸고 좌우가 대립하면서 소리 없이 사라졌다. 공산당은 신탁통치 찬반투쟁이 전개되면서 새로운 좌익 통일전선체를 결성하려 했다. 46년 2월 15일 공산당의 구상에 따른 새로운 좌익 통일전선체인 민주주의민족전선(민전)이 결성되었다. 민전이 등장한 이후 좌익들은 인공을 거론하지 않았다.

이처럼 좌익의 새로운 통일전선체인 민주주의민족전선이 등장하면서 인공이 사라졌다는 것은 인공이 좌익의 통일전선체였음을 분명하게 말해준다. 인공에 우익이나 중도파가 참여하고 있었다면 인공은 미군정과 대립하지 않았을 것이며, 좌익 진영의 새로운 통일전선단체 등장으로 사라지지도 않았을 것이다.

제4장

모스크바협정과
미·소공동위원회의 진실

모스크바 3상회의

　1945년 12월 16일 미국과 소련 및 영국 등 3개국의 외무장관들은 모스크바에서 회의를 개최했다. 26일까지 10일간 계속된 이 회담을 모스크바 3상회의라고 부른다. 모스크바 3상회의는 2차 세계대전에서 연합국으로 함께 싸웠던 미·소·영 3개국의 외무장관들이 2차 대전 종전 후의 국제문제들의 해결책을 마련하기 위해 모인 회합이었다. 이들이 해결책을 마련하려는 문제들 가운데는 한반도(한국) 독립문제도 포함되어 있었다.

　1945년 8월 이후 미국과 소련에 의해 분할 점령 중인 한반도의 독립문제에 대해 미국과 소련은 1943년 11월 테헤란회담에서 합의한 미·영·중·소 4개국 공동 신탁통치 계획에 입각하여 해결책을 모색한다는 점에서는 공통된 입장을 취했다. 그러나 그것을 실행하는 방법과 절차에 있어서 상이한 입장을 보이고 있었다.

　미국은 한반도 독립문제 해결방안으로 △ 미·소군 주둔 하에 남북한 통일행정기관의 조속한 설립, △ 5~10년간의 4개국 공동신탁통치를 거쳐 한국 독립정부 수립, △ 신탁통치 집행위원회 구성 등을 제안했다.

소련은 △ 조선의 임시 민주정부 수립, △ 임시 민주정부 수립을 지원하기 위해 남한주둔 미군사령부와 북한주둔 소군사령부 대표들로 구성되는 공동위원회를 구성하여 2주 이내에 소집, △ 미소공동위원회는 조선임시정부와 협의하여 5년간의 4개국 신탁통치 협정을 마련하여 4개국 정부에 제출 등을 제안했다.

미국의 제안은 소련군의 38선 봉쇄에서 비롯된 남북한지역의 행정 분단을 행정 통일로 전환할 것을 최우선시하는 것이고, 소련의 제안은 한반도 통일 임시정부 수립을 최우선시하는 것이다. 미국의 안에 따르면, 남북한의 행정을 통일 → 신탁통치 실시 → 통일된 독립 정부 설립의 과정으로 한반도의 통일 독립이 이루어지는 것이다. 소련의 안에 따르면, 미소공동위원회 구성 → 임시 통일 민주정부 수립 → 신탁통치 실시 → 통일된 독립 정부 설립의 과정으로 한반도 통일 독립이 이루어지는 것이다. 미국의 안은 행정의 통일로 소련군의 38선 봉쇄로 인한 분단의 심화를 정지시켜 놓고 한반도에 대한 신탁통치와 독립을 추진하자는 것이고, 소련의 안은 38선 봉쇄로 인한 분단의 심화를 지속시키면서 미소공동위원회 중심으로 한반도 통일·독립문제를 추진하자는 것이다. 미국의 안에 따르면, 일차적으로 남북한의 행정 통일이 이루어져 분단이 정지되면서 통일·독립을 위한 조치들이 취해지지만, 소련의 안에 따르면, 미소공동위원회에서 합의가 이루어지지 않는 한 38선 봉쇄로 인한 분단 심화가 정지되지 않고 한반도 통일과 독립을 위한 조치가 아무것도 취해질 수 없었다.

모스크바협정은 불량(不良)협정

　모스크바 3상회의는 12월 26일 종료되었고, 그 다음날인 27일 3상회의의 합의사항이 공동 코뮤니케 형식으로 발표되었다. 한반도 독립 문제에 대한 3상의 합의는 코뮤니케의 제3항으로 발표되었다. 이 코뮤니케 제3항을 모스크바협정이라고 부른다. 모스크바협정의 내용은 다음과 같다.

1. 조선을 독립국가로 회복하고, 조선에서 민주적 제원칙에 따른 국가발전과 장기간에 걸친 일본 지배의 재난적 결과들을 가능한 최단시일내에 청산하기 위한 조건들을 조성하기 위하여, 조선의 공업·수송·농업과 조선인민의 민족문화를 발전시키기 위해 필요한 모든 조치들을 취할 조선의 민주적 임시정부가 수립될 것이다.
2. 조선의 임시정부 구성을 지원하고 그에 필요한 적절한 조치들을 예비 작성하기 위하여 남조선 미군사령부 대표들과 북조선 소군사령부 대표들로 구성된 공동위원회가 설치될 것이다. 위원회는 위원회의 제안 사항들을 준비함에 있어서 조선의 민주적 정당·사회단체들과 협의할 것이다. 위원회가 작성한 건의사항들을 공동위원회에 대표를 파견한 두 나라 정부에 의해 최종적으로 결정되기에 앞서 소련·중국·영국·미국 정부들의 심의를 받기 위해 제출될 것이다.
3. 조선의 민주적 임시정부와 조선의 민주적 단체들의 참여하에, 조선인민의 정치·경제·사회적 진보, 조선의 민주적 자치정부 발전과 국가 독립 달성 등을 조력·지원(신탁통치 실시)하기 위한 조치들을 성안하는 것이 공동위원회의 임무가 될 것이다. 공동위원회의 제안사항들은 조선

의 임시정부와 협의를 거친 다음 조선에 대한 최고 5년 기한의 4개국 신탁통치에 관한 협정을 성안하기 위해 미국·소련·영국·중국 정부들의 공동심의에 회부될 것이다.

4. 남북조선 양측에 영향을 미치는 긴급한 문제들을 심의하고, 남조선 미군사령부와 북조선 소군사령부 간의 행정-경제문제들에 있어서의 지속적인 조정을 확립하는 조치들을 작성하기 위하여 조선에 주둔하는 미·소 양군사령부의 대표단회의가 2주내에 소집될 것이다.

〈※ 모스크바협정문은 미국무부가 발간한 『미국의 외교관계』(1945년) Ⅵ권 1150～1151쪽에 게재된 영문 텍스트를 번역한 것이다.〉

모스크바협정은 모스크바 3상회의에서 제의된 미국의 제안보다 소련의 제안이 더 많이 반영된 것이었다. 미국은 5년간의 4개국 공동 신탁통치 사항만 관철했다.

모스크바협정은 실현 가능성이 극히 의심스러운 협정이다. 협정의 내용 가운데 미·소간에 합의된 사항은 한반도에 임시 민주정부를 구성한다는 것과 5년 동안 신탁통치를 실시한다는 것 뿐이다. 임시 민주정부를 구성하는 방법과 절차, 신탁통치 실시 방법, 독립정부 구성방법 등에 대해서는 구체적 합의 사항을 전혀 갖고 있지 않으며, 그 모든 것을 장차 소집될 미소공동위원회에서의 합의에 내맡긴 것이었다. 모스크바협정은 미소공위가 진전되지 않으면 아무것도 할 수 없는 불량협정이었다.

모스크바협정에 대한 좌익의 거짓말

모스크바협정이 발표되자, 국내 정치세력은 그에 대한 반대진영과 찬성진영으로 양분되어 격렬하게 대립했다. 모스크바협정 발표 이전에는 남북한의 모든 정치세력이 한반도에 대한 신탁통치 실시 구상에 대해 반대하는 입장을 천명해왔다. 모스크바협정이 발표된 후 신탁통치 실시를 내포한 모스크바협정에 대한 정치세력들의 입장에 변화가 나타났다.

남한의 민족주의 진영(우익)은 모스크바협정에 포함된 신탁통치에 반대하는 격렬한 군중시위를 전개했다. 북한의 민족주의 진영도 신탁통치 반대 투쟁을 전개하다가 소련군의 탄압을 받았다. 일부는 체포되어 시베리아로 유배되고, 일부는 체포를 피하여 남한으로 피난했다.

남북한의 사회주의 진영(좌익)은 모스크바협정 발표 직후에는 그에 대한 입장을 놓고 우왕좌왕했다. 남한의 조선공산당의 하부 조직 및 좌익진영 연합체인 조선인민공화국 중앙위원회는 신탁통치 반대 입장을 천명했다. 조선공산당 서울시위원회는 "신탁통치설은 3상회의에서 결정되고 드디어 현실화되고 말았다. 우리 민족의 수치다."라고 비판했다. 인공중앙위원회는 "우리 조선은 어떠한 이유로도 신탁통치를 실시할 근거가 없을 것이다"라고 비판했다. 그러나 조선공산당의 지도부 및 북한의 북조선공산당은 모스크바협정 및 그 속에 내포된 신탁통치에 대해 반응을 보이지 않았다. 소련으로부터 지시가 없었기 때문이다.

모스크바협정에 대해 어떤 입장을 취할 것인가에 관한 소련의 지시를 파악하기 위해 남한의 조선공산당 지도자 박헌영은 12월 28일 밤 비밀리에 평양으로 갔다. 김일성 등 북조선공산당 지도자들도 모스크바협정에 대한 입장이 정리되어 있지 않았다. 북한주둔 소련군 민정사령관 로마넨코가 모스크바에 가 있었기 때문이었다. 로마넨코는 30일 평양으로 귀환했으며, 공산당 지도자들에게 모스크바협정에 대해 어떤 입장을 취해야 할 것인지에 대한 소련의 지시를 하달했다. 소련의 지시는 모스크바협정을 적극 지지하라는 것이었다. 모스크바협정의 내용이 소련의 입장을 주로 반영한 것이라는 점을 생각하면 이러한 소련의 입장은 당연한 것이다.

북조선공산당은 46년 1월 2일 모스크바협정 지지 성명을 발표했다. 남한의 조선공산당도 1월 3일부터 모스크바협정 지지 성명을 발표했다. 그리고 그날부터 우익진영의 신탁통치 반대 군중투쟁에 대항하기 위해 모스크바협정 지지 군중투쟁을 전개했다.

조선공산당을 비롯한 좌익진영은 모스크바협정 지지를 천명하면서 두 가지 거짓말을 했다. 그 하나는 "모스크바협정에 들어있는 신탁통치는 영문 텍스트의 trusteeship을 번역한 것이고, 러시아어 텍스트에는 опека(오페카)로 되어 있는 바 опека는 신탁통치가 아닌 후견제를 뜻한다. 우리는 신탁통치를 지지하는 것이 아니라 후견제를 지지하는 것이다."라는 것이다.

이러한 주장은 국제적 협정문 작성의 관행을 모르고, 나아가서는 러시아어를 모르는 한국 민중을 기만하는 잔꾀에 불과하다. 상이한 언어로 국제협정을 작성할 때는 각국의 언어전문가들이 동원되어 상이한 언어로 작성된 문안에 상이한 의미의 단어가 사용되는 것을 제거한다. 따라서 한쪽에서는 신탁통치로 해석되는 단어를 사용하고 다른 쪽에서는 후견제로 해석되는 단어를 사용할 수는 없다. 러시아어 사전을 보면, опека는 영어로는 후견제를 의미하는 guardianship, 신탁통치를 의미하는 trusteeship이라는 두 가지 의미를 갖는다. 일상생활에서는 후견제라는 의미를, 외교적 용어로는 신탁통치라는 의미를 가진 것이다. 모스크바협정은 국제적 협정이므로 러시아어 опека는 영어 trusteeship과 완전 일치하는 것이다.

또 하나의 거짓말은 좌익이 지지하는 것은 "모스크바협정이지 신탁통치가 아니다"라는 주장이다. 이러한 주장은 모스크바협정을 이행하기 위해 개최된 미·소공동위원회에서 소련이 '신탁통치 반대투쟁을 전개하는 것은 모스크바협정에 반대하는 것'이라고 주장하면서 신탁통치를 반대하는 남한 우익진영을 미소공동위원회의 협의대상에서 배제하려 한 것과 배치되는 것이다. 게다가 조선공산당은 모스크바협정 지지 투쟁 초기에는 신탁통치가 '좋은 것'이라는 성명을 발표하기까지 했었다. 공산당의 그런 성명을 논외로 치고 상식적으로만 생각하더라도, 신탁통치는 모스크바협정의 내용이므로 좌익이 모스크바협정을 지지했다는 것은 곧 좌익이 신탁통치를 지지했다는 뜻이 된다.

1차 미·소공동위원회의 결렬

남한주둔 미군사령부와 북한주둔 소군사령부는 각각 대표단을 구성하여 1946년 1월 16일부터 서울에서 미·소공동위원회 본회담의 개최를 준비하기 위한 예비회담을 개최했다. 예비회담에서 미국은 한반도 통일 임시 민주정부를 구성하려면 남북한 간의 통행·통신·통상을 차단하고 있는 38선 봉쇄를 풀고 남북한 모든 지역에서 언론·집회·결

모스크바협정의 이행을 위해 개최된 미·소공동위원회.

사의 자유 등 정치적 자유가 보장되어야 하므로 그러한 자유보장 조치를 먼저 취하자고 제안했다. 그에 반해 소련은 통일 임시 민주정부가 구성되면 그러한 조건들이 뒤따라 이루어질 것이므로 통일 임시 민주정부 구성문제부터 우선적으로 토의하자고 제안했다.

　주민들의 정치적 자유가 보장되지 않은 조건에서는 민주적인 정부가 수립될 수 없는 일이기 때문에, 미국의 제안이 절대 타당하다. 그러나 미국은 자기의 타당한 제안을 포기하고 소련의 타당치 않은 제안을 받아들였다. 당시 미국은 소련과 조속히 합의하여 한반도에 신탁통치를 실시한 다음 빠른 시일 내에 미군을 철수한다는 생각으로 소련과의 협상에 임했고, 소련은 북한지역의 공산화를 굳혀놓고 미국이 많이 양보하면 합의에 응한다는 생각으로 미국을 느긋하게 상대했다. 이

러한 미국과 소련의 입장 차이로 인해, 미국은 '아쉬운 놈이 샘 판다'
는 속담처럼 미소공동위 출발단계서부터 소련에 양보했고, 그러한 미
국의 양보는 미소공위가 최종 결렬될 때까지 계속되었다. 반면에 소련
은 한편으로는 '우리는 바쁠 게 없다'는 태도로 미·소공위에 피동적으
로 대응하면서 다른 한편으로는 북한지역의 공산화를 위한 사회변혁
조치들을 신속하게 취했다.

미·소공위 1차 본 협상은 1946년 3월 20일부터 서울에서 개최하기
로 합의되었다. 소련은 1차 미·소공위 개막 한 달여 전에 북한을 일방
적으로 공산화하기 위한 결정적 조치들을 취했다. 2월 8일 북조선임
시인민위원회라는 북한의 단독 임시정부를 설립한 것이다. 북조선임시
인민위원회는 설립 직후부터 토지사유를 부정하는 무상몰수 무상분
배 원리에 따른 사회주의 지향적 토지개혁을 실시하는 등 북한의 공
산화를 추진했다. 북한의 토지개혁은 서울에서 1차 미·소공동위원회
가 진행 중이던 46년 3월말에 완료되었다.

소련은 미·소공위에 피동적으로 임하면서 북한의 공산화를 적극
적으로 추진했기 때문에, 미·소공위가 아무런 결실을 거두지 못한 채
결렬되어도 아쉬울 것이 없었다. 그래서 소련은 미·소공위에서 상식에
부합한지 여부나, 협상 진전을 방해할 것인지 여부를 고려하지 않고
자기들이 주장하고 싶은 것을 마음껏 주장했다. 반면에 미국은 미·소
공위를 통해 소련과 합의한 바대로 한반도 문제를 처리하려는 노선을
취하고 있어서 미·소공위에서 합의도출을 서두르면서 소련의 비위를
거스르는 주장을 삼갔다.

소련은 4월초 미·소공위가 한반도 통일 임시 민주정부 구성을 위
해 협의대상이 될 남북한의 정당 사회단체는 모스크바협정을 지지하

는 단체들이어야 하며, 신탁통치를 반대하는 정당 사회단체들은 협의 대상이 될 수 없다고 주장했다. 신탁통치를 반대하는 것은 곧 모스크바협정을 반대하는 것과 같기 때문이라는 것이었다.

미국은 민주정부에서는 언론의 자유가 보장되어야 한다고 주장하며, 반탁세력을 임시 민주정부 구성 관련 협의 대상에서 배제해야 한다는 소련의 주장에 단호하게 반대했다. 임시 민주정부 구성을 위한 협의대상에서 배제된다는 것은 궁극적으로 임시 민주정부 구성에서 배제된다는 것을 의미하고, 소련의 주장대로 한다면 임시 민주정부 구성에서 남한의 친미–반공세력이 전면 배제되는 것을 뜻하기 때문이다.

미국이 단호한 반대 입장을 취하자 소련은 1보 후퇴하여, 기왕에 신탁통치를 반대한 것은 불문에 붙이고 앞으로 신탁통치를 비롯하여 모스크바협정을 지지한다고 서약하면 협의대상 자격을 인정하겠다고 후퇴했다.

미국은 남한 우익진영 정당 사회단체들에게 서약서를 제출하라고 종용했으나 남한의 우익 정당 단체들은 서약서를 제출하지 않았다. 그러자 미군 사령관 하지가 나서서 우익 정당 단체의 지도자들을 직접 설득하고 다녔다. 하지는 서약서를 제출한 후에라도 신탁통치를 지지 또는 반대하는 언론의 자유를 누릴 수 있다고 말했다. 하지의 말을 믿고 우익진영의 정당과 단체들이 일제히 서약서를 미·소공위에 제출했다.

전후 사정을 파악한 소련은 하지가 사기를 친 것이라고 비판하면서, 일단 서약서를 제출하면 신탁통치를 반대할 수 없다고 못 박았다. 신탁통치를 반대하는 정당 단체들을 임시 민주정부 구성에서 배제하려는 소련의 주장과 그런 주장을 수용할 수 없다는 미국의 입장이 맞서, 1차 미·소공위는 46년 5월 6일 무기 휴회에 들어갔다. 이렇게 해서 1차 미·소공위는 약 50일 간 시간만 허비한 채 아무 소득 없이 결렬되었다.

2차 미·소공위의 결렬

1차 미·소공위가 결렬된 후 소련은 북한의 공산화에 박차를 가했다. 토지개혁에 더하여, 일제잔재 숙청, 반동분자 반민주주의자 숙청(반공인사 숙청), 중요산업의 국유화, 인민교육체계 수립(사회주의지향적 학교교육체계 수립), 민족간부(사회주의화 추진 인력) 양성 등을 진행했다. 이런 사회주의 지향 조치들을 공산주의자들은 '민주개혁'이라 불렀고, 민주개혁을 통해 북한이 민주화(사회주의화)되면 북한은 한반도 전체의 민주화를 위한 기지가 될 것이라고 선전했다. 북한을 공산화하고 그것을 기지로 삼아 남한까지 공산화하려는 그들의 야심을 드러낸 것이다.

사회주의화를 위한 기초 작업들이 진행된 후 북한지역의 단독정권과 그 정권 하에 이루어진 조치들을 정당화·공고화하기 위해 북한에서는 46년 11월 군·시·도 인민위원 선거를 실시했다. 선거는 유권자들이 북조선민주주의 민족전선이 추천한 후보자에 대한 찬성 혹은 반대를 표시한 투표용지를 반대표는 흑색투표함, 찬성표는 백색투표함에 넣는 공개투표방법으로 진행되었다. 이 선거로 3,459명의 인민위원들이 선출되었다. 이들의 3분의 1인 1,159명이 북조선인민위원회 대표로 선출되어 1947년 2월 평양에서 북조선인민위원회대표대회를 개최했다. 이 회의에서는 237명의 대의원을 선출하였으며, 그들이 북조선인민회의(국회에 해당)를 구성했다. 북조선인민회의는 북조선인민위원회(행정부에 해당)를 선출했다. 북한지역의 정식 국회와 행정부가 설립된 것이다.

이처럼 소련이 북한의 공산화에 박차를 가하고 있는 동안 미국은 남한지역의 정부수립 등 자유민주화를 위한 노력을 전개하지 않고(나아가서는 방해하고), 그 대신에 소련을 상대로 미·소공위 재개를 위해 힘을 쏟았다. 미국은 1차 미·소공위에서 취했던 '신탁통치에 반대하지 않는다는 서약서를 제출하더라도 신탁통치에 대한 반대운동을 할 수 있다'는 입장을 포기하는 양보를 하고, 미·소공위 재개에 관한 소련의 동의를 얻어냈다.

1947년 5월 21일 서울에서 제2차 미·소공동위원회가 열렸다. 미국은 2차 미·소공위를 준비함에 있어서 신탁통치에 반대하는 이승만과 김구 및 그들의 추종세력을 견제하고, 신탁통치에 대해 강경반대 입장을 취하지 않는 좌우합작위원회를 중심으로 한 중도세력을 우대하는 등 미·소공동위의 진전을 위해 공을 들였다. 또한 우익진영 내의 가장 큰 정당인 한민당 지도부를 설득하여 한민당을 이승만·김구의 영향권에서 이탈시켜 미·소공위에 협조하도록 만들었다.

2차 미·소공위는 6월 11일 미·소공동위원회에서의 남북 각 정당 및 사회단체와의 협의에 관한 규정을 발표했다. 이 규정은 공위의 협의대상이 되려는 정당과 사회단체들은 협의 참가 청원서, 공위의 결의와 노력을 지지한다는 선언서, 공위가 제시한 질문에 회답하는 답신서 등을 제출하라고 요구했다. 북한의 정당과 단체들은 모두 그 서류들을 제출했다. 남한의 좌익과 중도성향의 정당과 단체들도 모두 제출했다. 남한 우익진영에서도 이승만과 김구 직계의 정당과 단체를 제외하고 모두 제출했다.

이승만과 김구는 미·소공위를 보이콧하고 미·소공위가 우리 민족에 강요하려는 신탁통치에 반대하는 시위를 조직하는 등 반대활동을 전개했다. 미국은 이승만·김구세력을 배제하고도 소련과 합의에 의한 한반도 독립·통일문제 해결이 가능하다고 판단하면서 소련과의 합의 모색에 주력했다.

7월에 접어들어 소련은 미소공위에 서류들을 제출한 정당과 단체라도 반탁투쟁위원회 및 그와 유사한 단체에 가입해 있는 단체들은 임시정부 구성을 위한 협의 대상에서 배제해야 한다는 주장을 하고 나섰다. 1차 공위 때는 신탁통치에 반대하지 않겠다고 서약하고 그 서약을 위반하지 않으면 되었는데, 이제는 그 조건을 한층 더 강화하여 그런 서약에 더하여 반탁운동 단체에서 탈퇴할 것까지를 주장한 것이다. 공위에 참여한 남한의 우익 정당과 사회단체들 및 중도파 정당과 사회단체들은 대부분 반탁투쟁위에 참여했고, '공위에 참여한 후 공위의 틀 내에서 반탁투쟁을 전개하겠다'는 입장을 공위 참여 명분으로 제시했었다.

소련의 주장대로 한다면, 공위가 구성할 한반도 통일 임시 민주정부에는 남한의 우익과 중도 진영의 정당과 사회단체들의 압도적 다수가 참여 불가능하게 된다. 그렇게 될 경우 한반도는 전체가 소련의 위성국이 될 것이다. 미국은 소련과 합의해서 한반도 독립문제를 해결한다는 것은 종국에는 한반도의 소련 위성국화를 초래할 가능성이 크다는 점을 뒤늦게 깨달았다.

미국은 미·소공위의 틀 속에서 소련과의 합의를 통한 한반도 문제의 올바른 해결이 불가능하다고 판단하자, 한국문제를 미·소 양자 회담에서 한반도에 대한 공동 신탁통치국으로 내정된 미·소·영·중 4자 회담으로 이관하자고 제안했다. 소련은 이에 반대했다. 미국은 그렇다면 한국문제를 유엔으로 이관하자고 제안했다. 그에 대해서도 소련은 반대했다. 그러자 미국은 일방적으로 한국문제를 유엔총회에 상정하겠음을 소련에 통고했다. 미국의 요청에 따라 유엔총회는 9월 23일 한국문제를 의제로 채택했다. 소련은 한국문제의 유엔 이관에 반대하며, 미·소군을 조기철수하고 한국문제의 해결을 한국인들에게 맡기자고 제안했다. 미국은 그 문제도 유엔총회에서 논의해보자고 역 제안했다. 소련은 그것에도 반대했다.

유엔총회가 한국 독립문제를 유엔총회 의제로 채택한 후 미국은 미·소공위를 더 계속할 가치가 없다고 판단, 47년 10월 18일 공위를 휴회하자고 소련 측에 제안했다. 소련대표단은 미국이 미·소공위를 중단시켰다고 비난하면서 3일 뒤 평양으로 철수했다. 이로써 2회에 걸친 미·소공위는 총 2백일이라는 시간만 허비하고 아무런 성과 없이 완전 결렬되었으며, 1943년 카이로선언에서 천명된 한국의 독립문제에 대한 국제적 협의는 유엔으로 넘어갔다.

제5장

좌우합작의 실상

미군정이 기획·연출한 좌우합작운동

해방3년의 역사에서 매우 왜곡되어 알려진 중요사건의 하나가 1946년 5월부터 전개된 좌우합작운동이다. 압도적 다수의 한국 현대사 연구자들이 좌우합작을 신탁통치문제를 둘러싸고 빚어진 좌·우 정치세력의 적대적 대립을 완화·해소하여 민족통일을 모색하고자 김규식과 여운형이 주도하여 전개한 정치운동인 것처럼 서술하고 있다. 그리고 좌우합작운동은 이승만과 한민당 등 '극우세력'과 조선공산당 등 '극좌세력'의 방해로 인해 실패했으며, 좌우합작운동의 실패로 민족통일의 기회가 상실된 것처럼 서술하고 있다. 좌우합작운동에 대한 이러한 잘못된 서술이 널리 확산되어 고등학교 한국사 교과서에도 동일한 취지로 좌우합작운동이 소개되고 있다.

결론부터 먼저 말하자면, 좌우합작운동에 대한 이러한 서술은 실제로 진행되었던 좌우합작운동의 실상과는 거리가 먼 꾸며댄 이야기에 불과하다.

1946년 5월부터 시작된 좌우합작운동은 당시 남한을 통치하던 미군정이 기획·연출·지원한 것이다. 미국은 모스크바협정에 따라 미·소 합의에 의해 한반도문제를 해결하려는 정책을 취하고 있었는데, 남한의 우익세력이 모스크바협정에 들어있는 신탁통치를 격렬하게 반대함으로써 미국의 정책 집행이 지장을 받게 될 것으로 판단했다. 그래서 미국은 한반도정책을 원활히 추진하기 위해 신탁통치 반대투쟁을 주도하는 김구와 이승만 세력을 약화시키고 '진보적 강령'을 가진 새로운 세력을 양성하여 미국의 정책 집행에 협조하도록 하기로 했다. 미국 국무부는 이러한 고려에 따라 1946년 2월 말 주한미군정 사령관 하지에게 △ 김구와 이승만을 지원하지 말고 그들의 세력을 약화시킬 것과 △ 공산당과도 연결되지 않으면서 이승만·김구와도 거리를 두는 새로운 세력을 양성할 것을 지시했다.

하지는 제1차 미소공동위원회가 교착상태에 빠진 4월 하순부터 미국무부의 지시를 실행할 준비를 시작했다. 하지는 우선 미국무부의 지시를 실행할 전담요원으로 버취(Leonard Bertsch) 중위를 선정했다. 버취는 미국무부가 지시한 '공산당과도 연결되지 않으면서 이승만·김구와도 거리를 두는' 새로운 세력을 양성하는 일을 좌우합작을 통해 성사시키려 했다. 좌익진영의 비주류세력과 우익진영의 비주류세력을 묶어 '진보적 강령'을 가진 새로운 세력으로 양성한다는 구도였다.

버취는 예비조사 끝에 좌우합작운동의 중심인물로 김규식을 선정했다. 김규식은 그의 경력 및 남한 정계에서의 위상 등에 비춰볼 때 미군정이 기획하고 있는 좌우합작운동의 중심역할을 하기에 매우 적합한 인물이었다. 그의 아들이 주한미군의 통역관이라는 점도 긍정적으로 작용했다.

김규식은 이승만보다 먼저 미국에 유학했으며, 한 때 미국에서 이승만과 협력하여 독립운동을 전개했으나, 중국으로 활동무대를 옮기면서 이승만과 대립되는 노선을 취했다. 김규식은 상해에서 여운형과 함께 신한청년당을 조직하기도 했고, 여운형과 함께 모스크바에서 개최된 극동노동자대회에 참석했으며, 그 무렵에 공산당에 가입하기도 했다. 그는 1923년 상해에서 임시정부 분열을 조장하는 국민대회를 개최하는데 여운형과 더불어 주도적으로 참여했고, 그 회의에 참여했던 일부 친소경향 인사들이 조직한 '조선공화국'의 수반이 되어 블라디보스토크에 가기도 했었다. 김규식 등은 블라디보스토크에서 소련의 지원을 확보하려 했으나 소련은 김규식 일행에 대해 지원해주지 않은데 더하여 사실상 추방했다. 김규식 일행은 다시 중국으로 돌아왔으며, 이때의 쓰라린 경험으로 인해 김규식은 소련에 대해 비판적인 입장을 갖게 되었다. 중국에 돌아온 김규식은 민족공산주의자 김원봉과 함께 조선민족혁명당을 조직하여 그 당수가 되었으며, 임시정부를 좌우합작조직으로 개편할 때 임시정부의 부주석이 되었다. 8·15해방으로 귀국한 후에는 전향하여 우익진영에 참여했으며, 이승만과 김구에 뒤이은 우익진영 세 영수 중의 한 명으로 간주되었다. 그러나 우익진영 내에서 그의 위상은 이승만과 김구에 압도되어 극히 취약했다.

김규식에게 좌우합작 주도 권유한 이승만

미군정 측으로부터 좌우합작을 주도해달라는 부탁을 받은 김규식은 처음에는 사양했다. 좌우합작이 성공하지 못할 것으로 판단했고, 그에 대한 미군정의 지원 강도가 어느 정도인지도 몰랐기 때문이었다.

김규식이 미군정의 부탁을 거절했다는 소문을 들은 이승만은 김규식을 찾아가 좌우합작을 주도해달라고 권유했다. 좌우합작이 이승만과 김구를 정계에서 퇴출하기 위한 미군정의 공작이란 점을 알지 못했던 것이다.

이정식교수가 저술한 『김규식의 생애』(신구문화사, 1974)에 서술된 바에 따르면, 좌우합작에 나서달라는 이승만의 권유에 대해 김규식은 "나는 능력도 없고 자신도 없으며, 또 되지도 않을 것도 알고 있다"라며 거절했다. 그러자 이승만은 "이 일이 하지 개인의 의견이라면 모르지만 미국무성의 정책이요, 우리가 이 정책을 실행해 보지도 않고 어떻게 거절할 것이냐? 아우님이 한 번 해보라"고 거듭 권유했다.

우리나라 역사학계에서는 이승만이 민족분열주의자여서 좌우합작을 반대했고, 좌우합작은 이승만의 반대 때문에 실패했다는 주장이 통설로 되어있다. 이는 실제 상황과 반대되는 것이다. 이승만은 김규식에게 좌우합작에 나서달라고 권유했고, 좌우합작의 정신을 지지했다. 이승만이 반대한 것은 좌우합작이 실패한 후에도 좌우합작위원회를 존속시키면서 그것을 중심으로 새로운 정치세력을 육성하려는 미군정의 정치공작이었다. 김구의 한독당은 물론이고 김성수의 한민당도 좌우합작을 지지했다.

이승만과 김구의 좌우합작에 대한 지지와 미군정의 좌우합작운동에 대한 전폭적인 지원정책을 확인한 김규식은 마침내 좌우합작에 나서달라는 미군정의 요청을 수락했다. 미군정은 좌우합작에 참여할 인사들의 선정을 김규식에게 일임했다. 김규식은 좌우합작을 함께 주도할 협력자로 좌익진영에서는 여운형, 우익진영에서는 원세훈을 선정했다. 여운형과 원세훈은 김규식이 중국에서 활동할 때 동지적인 관계에 있었던 인사들이다. 여운형은 전술한 바와 같이 1920년대 중국에서 활동할 때 김규식과 동지관계에 있었고, 해방 직후의 정국에서는 좌익진영의 비주류 지도자로서 주류인 공산당으로부터 냉대를 받고 있었다. 원세훈은 블라디보스토크로 갔던 '조선공화국'에 김규식과 함께 참여했던 인물이며, 해방 직후의 정국에서는 우익진영의 비주류에 속했다.

좌우합작운동의 주역인 김규식과 여운형

미군정의 지원을 받아 다시 정치공작을 함께 전개하게 된 과거의 동지 김규식·여운형·원세훈은 1946년 5월 25일 밤 버취의 주택에서 좌우합작을 추진하기 위한 첫 번 째 예비회합을 가졌다. 이날 회합에는 세 사람 외에 황진남과 미국인 아펜젤러(Henry Appenzeller)가 참석했다. 황진남은 여운형의 측근으로서 좌·우진영 간의 머릿수를 2명씩 맞추기 위해 참석했고, 아펜젤러는 배재학교 교장을 역임한 선교사로서 버취를 위한 통역 겸 업저버로 참석했다.

그 후 버취의 주택에서 예비회합이 두 차례 더 개최되었으나 좌우합작은 쉽게 본궤도에 진입하지 못했다. 그 주된 원인은 좌우합작에 대한 공산당의 부정적 태도였다. 우익진영은 모든 정당이 좌우합작을 지지한 데 반해, 좌익진영의 중심세력인 공산당이 좌우합작에 반대한 것이다. 공산당은 좌우합작의 배후에 미군정이 있고 미군정은 남한 단독정부 수립을 위해 좌우합작을 기획·지원하고 있다고 판단하여 좌우합작에 대해 부정적인 입장을 취했다.

좌우합작운동 반대한 공산당

좌우합작에 대한 공산당의 태도를 긍정적으로 유도하기 위해 여운형은 여러 가지 노력을 전개했다. 여운형은 좌우합작에 참여하는 자신의 입장을 선전하는 담화를 발표하고, 북한의 김일성에게 밀서를 보내서 김일성의 동의를 얻어내려는 등의 활동을 전개했다.

여운형은 1946년 6월 11일 발표한 담화에서 좌우합작은 궁극적으로는 남북통일을 달성하기 위한 것이며, 남한지역에서 먼저 좌우합작기구를 구성하고, 그 다음 남한의 좌우합작기구와 북한의 정치세력이 다시 합작하여 통일 임시정부를 구성하자는 것이라고 설명했다. 여운형이 말한 대로라면 남북통일 임시정부는 좌와 우가 1대1로 참여하는 남한의 좌우합작기구와 모두가 좌익세력인 북한의 정치세력이 합작하여 이루어지게 된다. 그렇게 되면 그 정부의 좌우세력 구성비는 좌3대 우1이 될 것이다.

여운형은 또 김일성에게 보낸 밀서에서 "좌우합작을 발전시키고 미군정의 영향력을 점차 감소시켜 독립적인 통일정부를 수립하려는 것"이라고 설명했다. 여운형의 담화와 밀서를 접한 김일성과 북한주둔 소련군 지휘부는 좌우합작에 대해 긍정적 입장을 취하게 되었다. 여운형의 통일론은 공산화통일론과 내용이 같은 것이었기 때문이다. 여운형의 생각이 공산화통일에 기여한다고 판단한 김일성과 소련군 지휘부는 남한의 공산당에게 여운형의 좌우합작 참여를 방해하지 말 것과, 공산당도 좌우합작에 참여할 것을 지시했다. 공산당은 좌우합작에 참여하기로 하고 그들의 대표로 허헌을 좌우합작위 준비모임에 파견했다.

여운형이 좌우합작에 대한 공산당의 반대를 돌파하는 노력을 전개하는 동안, 남한 미군정 지휘부는 좌우합작에 대한 미군정의 확고한 지지를 천명하고 그러한 지지의 목적이 소련과 합의에 의한 한반도 문제의 해결을 원활히 하기 위한 것임을 설명하는 여론공작을 전개했다. 주한미군정장관을 역임했고 미·소공동위원회 미국 측 수석대표를 맡고 있는 아놀드(Archbold Arnold)는 좌우합작 주도자 4명(김규식, 여운형, 원세훈, 허헌)과 회합하여 좌우합작에 대한 미군정의 입장을 설명했고, 뒤이어 미군정사령관 하지는 미군정이 좌우합작을 지지하며 이승만의 남한 단독정부 수립노선을 지지하지 않는다는 성명들을 발표했다.

북한주둔 소련군 지휘부와 김일성의 좌우합작에 대한 긍정적 입장으로의 선회, 그리고 미군정의 여론공작에 힘입어 7월 10일 우측 5명(김규식, 원세훈, 안재홍, 김붕준, 최동오), 좌측 5명(여운형, 허헌, 정노식, 이강국, 성주식), 총 10명으로 구성된 좌우합작위원회가 결성되었다. 이러한 인적 구성은 좌우합작위원회가 좌익과 우익의 합작기구이기보다는 좌익과 중도파의 합작기구에 가까운 것이었음을 말해준다.

위원들의 경력과 주장에 비추어볼 때, 우측 대표 5명은 중도·좌경성향의 인사들이며, 우익진영의 중심세력인 이승만·김구·한민당과는 거리가 있는 인사들이다. 반면에 좌측 대표 5명은 공산당 내 박헌영파 2명(허헌, 이강국)과 비공산당 소속 박헌영계 1명(정노식) 등 좌익의 중심인 박헌영파를 대변하는 사람 3명과 온건좌익 2명(여운형, 성주식)으로 구성되어 있다. 우측 대표단은 우익진영의 중심, 특히 이승만과 한민당의 입장을 대변하지 않게 구성되어 있고, 좌측 대표단은 좌익진영의 중심인 박헌영의 입장을 잘 대변하도록 구성되어 있다.

좌로 기운 좌우합작위원회

이러한 인적 구성으로 볼 때, 좌우합작위원회는 좌익진영의 중심부와 중도파 혹은 우익진영의 주변부 간의 합작, 즉 좌경합작을 추진하기에 적합한 협상기구였고, 좌익진영의 중심부와 우익진영의 중심부의 입장을 균형적으로 반영한 합작, 즉 진정한 좌우합작을 추진하기에는 적합하지 못한 기구였다. 좌우합작위원회의 이러한 인적 구성은 좌로 기울어진 불균형 좌우합작에는 성공할 수 있을지라도 균형적인 좌우합작에는 성공하기 어려운 한계를 지니고 있었다.

설상가상으로 좌우합작위에 참여한 인사들의 합작에 대한 태도가 좌·우 균형합작의 성공에 부적합했다. 박헌영계 인사 3명은 좌우합작을 적극적으로 추진하는 협상자이기보다는 좌우합작이 공산당의 노선에서 벗어나지 않도록 감시하기 위해 파견된 감시자의 성격이 강한 인물들이다. 뿐만 아니라 좌측 대표단의 주도인사인 여운형의 태도도 합작의 성공에 부적합했다. 여운형은 자기가 이끌고 있는 인민당의 회의에서 좌우합작에 임하는 자신의 태도를 밝혔다. 그는 좌우합작은 투항이나 추종이 아니라 '외교투쟁'이며, "좌우합작이 투쟁적 기능을 상실할 경우에는 즉시 이를 포기할 것"이라고 천명했다. 이런 발언에 비추어보면, 여운형의 좌우합작 참여 태도는 좌·우 진영의 절충·타협에 의한 합작의 성사가 아니라 좌익진영의 입장을 관철하는 것이 목적이며, 그러한 목적 달성을 위한 외교투쟁이 통하지 않게 되면 합작참여를 포기하겠다는 것이다. 좌측 대표들이 이런 태도를 가지고 있었기 때문에 좌우합작은 우측 대표들이 일방적으로 양보를 하지 않는 한 성공하기 어려운 사업이었다.

좌우합작위가 구성된 지 보름 후 좌·우 양측은 각자 좌우합작의 원칙을 제시했다. 좌측이 제시한 합작원칙의 주요 내용은 ① 모스크바협정 절대지지, ② 무상몰수 무상분여에 의한 토지개혁과 산업국유화, ③ 친일파와 반동거두 배제, ④ 남조선정권의 인민위원회로의 즉시 이동 등이다. ③항의 실질적 의미는 해설이 필요한 데, 여기서 말하는 '친일파'는 한민당을 지칭하는 것이고, '반동거두'는 이승만과 김구를 지칭하는 것이다. 좌측이 발표한 합작원칙은 좌우합작에서 우익진영 중심부를 배제하고, 미군정이 행사하고 있는 남한 통치권을 인민위원회로 이양하여 북한지역에서 임시인민위원회 발족 후 실시하고 있는 소위 '민주개혁'을 남한지역에서도 실행하자는 것이다.

이틀 후 우측 대표단도 좌우합작의 원칙을 제시했다. 우측의 합작원칙은 ① 모스크바협정에 따라 구성될 통일 임시정부와 미소공동위의 협상에 의한 신탁통치 실시 여부 결정, ② 통일 임시정부 수립 후 6개월 이내에 정치적 및 시민적 자유 보장 하에 남북한 전역에서 보통 선거를 실시하여 국민대표회의 구성, ③ 국민대표회의 구성 후 3

개월 이내에 정식정부 수립, ④ 통일 임시정부 수립 후 친일파 징치 등이다.

양측의 합작원칙은 거리가 너무 멀어서 절충이 불가능해 보였다. 절충이 불가능해 보이는 양측의 합작원칙 차이와, 때마침 진행 중인 좌익3당(공산당, 인민당, 신민당) 통합과정에서 심화된 좌익진영 내부 갈등이 작용하여 좌우합작운동은 정돈(침체하여 나아가지 아니함)상태에 빠졌다.

여운형의 태도 변화

정돈상태에 빠졌던 좌우합작운동은 여운형이 8월 말부터 좌우합작운동에 적극적인 자세를 보이면서 다시 활기를 회복했다. 여운형이 좌우합작운동에 적극적인 자세를 보인 것은 좌익3당 합당 과정에서 박헌영계파의 독주에 밀려 좌익통합 당 내에서 자신의 입지 확보가 어렵게 되었기 때문이었다. 여운형은 좌우합작을 성사시켜서 새로이 형성된 중도세력의 합작 진영에서 정치적 입지를 확보해보고자 희망했던 것이다. 여운형은 김규식과 협의하여 좌우합작위의 좌측 대표단 인원 5명 중 자기를 제외한 나머지 인원을 교체했다. 새로 충원된 인사들은 백남운, 장건상, 박건웅, 김성숙 등으로서 모두 여운형과 가까운 온건좌익성향의 인사들이다. 이는 좌우합작위의 좌측 대표단 전원이 좌익진영의 주변부인사로 교체되었고 공산당 주류인 박헌영계가 전원 배제된 것을 의미한다.

여운형이 좌우합작에 적극성을 보이자, 박헌영계와 북한주둔 소련군 지휘부 및 김일성이 여운형의 좌우합작 활동을 방해하기 위해 여러 가지 노력을 전개했다. 박헌영계는 여운형이 말로 설득되지 않자 좌우합작위원회에 참석하러 가는 여운형을 납치·감금하기까지 했다. 여운형은 좌우합작위원회 활동을 하는 동안 총 네 차례나 박헌영계의 테러를 당했다.

평양의 소련군 지휘부와 김일성은 여운형과 백남운을 평양으로 소환했다. 여운형은 9월 하순 평양에 도착했다. 평양의 소련군 지휘부와 김일성은 여운형과 백남운에게 좌우합작 참여를 그만두고 박헌영계가 주장하는 방식에 따른 좌익 3당 합당 작업에 적극 참여하라고 지시했다. 소련군 지휘부와 김일성은 좌우합작이 남한지역의 단독정부로 발전할 수 있는 미군정의 남조선과도입법의원 설립에 이용될 것이며, 여운형의 좌우합작 참여 적극화는 남한 좌익세력의 단일 정당화에 지장을 줄 것으로 판단, 여운형의 좌우합작 참여를 지지했던 종전의 입장을 정반대로 바꾼 것이다.

여운형은 그런 지시를 하는 소련군 지휘부와 김일성에 대해 배신감을 느꼈다. 여운형은 남한 좌익진영에서 박헌영의 패권을 견제하려는 김일성을 대신해서 박헌영과 대립해왔고, 김일성의 지시에 따라 좌익 3당 합당작업에 앞장서왔던 것인데, 소련군과 김일성은 그러한 여운형의 노력에 대해 보상해주기는커녕, 결국엔 좌익 3당 합당을 박헌영 주장대로 따라 하고 끝내는 박헌영의 부하가 되라고 여운형에게 지시한 것이다. 여운형으로서는 소련군과 김일성에 대해 배신당했다는 생각을 가질만한 상황이었다. 배신감을 느낀 여운형은 평양의 지시를 받아들이지 않기로 결심했다.

서울에 돌아온 여운형은 기자회견을 갖고, "남조선에서 북조선에 대한 허보가 많다시피 북조선에서도 [남조선에 대한] 허보가 많아 걱정이다. … 우익이 싫건 좌익이 싫든 간에 할 수 없이 합작하여 연립내각과 같이 되는 좌우를 통한 합작이 있어야 비로소 통일이 되고 독립이 될 것이다"라고 선언했다. 평양의 지시를 정면으로 허보에 근거한 잘못된 지시라고 들이받고 좌우합작에 매진할 것을 선언한 것이다.

합작원칙 합의하자마자 실패한 좌우합작

여운형의 이러한 태도 변화로 좌우합작은 급진전을 보게 되었다. 여운형이 '외교투쟁' 노선을 접고, 절충·타협의 노선을 취하자 우측 대표단과 합의가 쉽게 이루어졌다. 양측은 좌우합작위 출범 직후 좌측과 우측이 각기 발표했던 좌우합작원칙을 절충하여 단일의 합작원칙을 만들어냈다. 1946년 10월 7일 좌우합작위원회가 발표한 좌우합작 7원칙은 다음과 같다.

1. 조선의 민주독립을 보장한 3상회의 결정에 의하여 남북을 통한 좌우합작으로 민주주의 임시정부를 수립할 것.
2. 미소공동위원회 속개를 요청하는 공동성명을 발표할 것.
3. 토지개혁에 있어서 몰수, 유조건 몰수, 체감매상 등으로 거둬들인 토지를 농민에게 무상분여하며, 시가지의 토지 및 대건물을 적정 처리하며, 중요산업을 국유화하며, 사회 노동법령 및 정치적 자유를 기본으로 지방자치의 확립을 속히 실시하며, 통화 및 민생문제 등등을 급속히 처리하여 민주주의 건국과업 완수에 매진할 것.
4. 친일파 민족반역자를 처리할 조례를 본 합작위원회에서 입법기구에

제안하여 입법기구로 하여금 심의 결정하여 실시케 할 것.

5. 남북을 통하여 현 정권 하에서 검거된 정치운동자의 석방에 노력하고 아울러 남북 좌우의 테러적 행동을 일절 즉시로 제지토록 노력할 것.

6. 입법기구에 있어서는 일절 그 기능과 구성방법 운영 등에 관한 대안을 본 합작위원회에서 작성하여 적극적으로 실행을 기도할 것.

7. 전국적으로 언론 집회 결사 출판 교통 투표 등의 자유를 절대 보장되도록 노력할 것.

좌우합작 7원칙이 발표되자 좌·우 두 진영의 중심세력은 각기 상반되는 이유로 그것을 반대했다. 좌익진영의 중심세력인 공산당은 좌우합작 7원칙이 절충주의 요소와 우익반동 요소가 많이 들어 있다는 이유로 반대했다. 우익진영의 중심정당인 한민당은 좌우합작 7원칙이 신탁통치 반대 입장을 강력히 천명하지 못했고, 국가의 재정적 파탄을 초래할 유상매수 무상분여 방식의 토지개혁을 제시했다는 이유로 반대했다.

좌우합작 7원칙은 좌·우 진영의 중심부세력이 합의한 것이 아니라 두 진영의 주변부세력끼리 합의한 것이다. 따라서 합작 7원칙이 두 진영의 중심부세력으로부터 지지를 받을 가능성은 애당초 극히 희박했다. 합작 7원칙은 좌·우 진영의 중심부세력으로부터 거부당함으로써 무용지물이 되고 말았고, 그에 따라 좌우합작운동은 좌우합작을 달성하지 못한 채 실패로 끝났다.

좌우합작 실패에도 불구하고 미군정은 좌우합작위원회의 존속을 지원했다. 미군정이 노린 것은 좌우합작 그 자체가 아니라 좌우합작위원회라는 단체를 중심으로 새로운 정치세력을 형성하는 것이었기 때

문이다. 좌우합작의 실패에도 불구하고 좌우합작위원회는 미군정의
지원을 받으며 계속 활동하면서 남한 정계에서 중도파세력 형성의 중
심축이 되었다.

제6장

9월 총파업과 10월 폭동

공산당의 신전술

　좌익과 그들에 동조하는 연구자들은 1946년 가을에 발생했던 9월 노동자 총파업과 10월 농민폭동을 미군정의 실정에 분노한 남한지역의 노동자와 농민들이 자연발생적으로 일으킨 민중봉기라고 주장해 왔다. 그들에 따르면, 9월 총파업은 남한지역 주요도시의 노동자들이 자발적으로 전개한 노동쟁의 행위이고, 10월 폭동은 남한지역 농촌의 농민들이 자발적으로 진행한 항쟁이다. 그러한 주장은 1980년대부터 전개된 좌익세력의 끈질긴 역사왜곡 투쟁으로 인해 우리 사회에서 어느덧 다수설이 되었다. 그러한 주장은 실제와는 거리가 먼 것이다. 9월 총파업과 10월 폭동은 8·15해방과 함께 북한을 점령해온 소련군과 남·북한의 공산세력의 계획에 따라 발생한 사건이었다. 미군정의 실정에 대한 남한지역 노동자·농민들의 분노는 공산세력의 계획 실천을 보다 용이하게 만드는 작용을 하는 부차적인 요인이었다.

　소련군과 남·북한의 공산세력은 1946년 1월경부터 한반도 공산화를 2단계로 추진하기로 작정했다. 소련군이 점령하고 있어서 공산화가 용이한 북한지역을 먼저 공산화하고, 공산화된 북한지역을 기지로 해서 남한지역 공산화를 추진한다는 전략이다. 이 전략을 그들은 '북조선 민주기지론'이라고 명명했다. 여기서 말하는 '민주기지'는 '공산화기지'를 뜻하는 것임은 두 말할 필요가 없다. 북조선 민주기지론은 그들의 희망대로 성공하면 한반도 전체가 공산화되는 것이고, 실패하더라도 북한지역만은 틀림없이 공산화되는 현실적인 전략이었다.

이러한 민주기지론에 따라, 북한 공산세력은 북한지역의 공산화를 실행하기 위해 1946년 2월 8일 북조선임시인민위원회라는 명칭의 임시정부를 수립했다. 북조선임시인민위원회는 출범과 동시에 토지개혁, 산업국유화, 주민의식화, 반공인사 숙청 등 공산화 조치들을 급속하게 실행했다. 그에 발맞추어 남한의 공산세력은 남한 공산화의 장애물인 미군정과 남한 우익세력을 약화시키기 위한 폭력적 군중동원투쟁을 전개했다. 1946년 가을 남한사회를 혼란에 빠트렸던 9월 노동자 총파업과 10월 농민폭동은 공산세력의 그러한 투쟁으로 인해 나타난 사건이다. 남한의 조선공산당은 폭력적 군중동원투쟁을 위해 1946년 7월 신전술을 채택했다. 조선공산당 지도자 박헌영은 당원들에게 배포한 '신전술에 대한 지시서'에서 아래와 같이 말했다.

"지금까지 우리가 미군정에 협력하여 왔으며 미군정을 비판함에 있어서는 미군정을 직접 치지 않고 … 간접적으로 미군정을 비판하였으나 앞으로는 우리가 이런 태도를 버리고 미군정을 노골적으로 치자. … 지금까지 미군정과 그 비호하의 반동들의 테러에 대해 그저 맞고만 있었으나 지금부터는 맞고만 있을 것이 아니라 정당방위의 역공세로 나가자. 테러는 테러로 피는 피로써 갚자."

9월 노동자 총파업과 10월 농민폭동은 소련군과 남·북한 공산세력의 북조선민주기지론과 신전술에 입각한 폭력적 군중동원투쟁이었다.

9월 총파업

조선공산당의 신전술은 1946년 9월부터 본격적으로 실행되었다. 그 이전에도 8월초에 발생했던 전남 무안군 하의도의 농민폭동과 전남 화순—광주구간 국도에서 발생한 화순탄광노동자들의 8·15기념시위사건 등과 같은 유혈폭력이 수반된 사건들이 발생했다. 그러나 그런 사건들에서는 공산당의 개입이나 그들의 폭력투쟁 기도를 확인시켜 줄 만한 객관적 자료들이 오늘날까지도 드러나지 않고 있어서, 그 사건들이 공산당의 신전술에 따른 것인지 여부를 확언하기 어렵다. 그러나 9월 총파업부터는 폭력투쟁을 추구하는 공산당의 신전술에 따라 추진된 것이 분명하다.

9월 총파업과 10월 폭동에 앞서 조선공산당 지도자 박헌영은 북한 주둔 소련군 지휘부로부터 노동자 총파업 및 농민폭동에 관한 지침을 받았다. 공산당은 소련군 지휘부로부터 외곽단체 지도방법, 미군정과 우익에 반대하는 항의집회 조직, 파업—폭동 때 주장할 요구사항 등에 관한 지침과 투쟁자금을 지원받았다.

북한 주둔 소련군의 가르침과 지원을 받은 조선공산당은 당초엔 농촌의 추수기인 10월에 공산당의 외곽단체인 노동조합전국평의회(전평)와 전국농민조합총연맹(전농)의 가입자들을 총동원하여 도시와 농촌에서 노동자와 농민이 동시에 전국적인 총파업과 폭동을 일으킬 계획이었다. 그러나 9월에 접어들어 미군정이 좌익계 신문들을 정간시키고 공산당의 주요 간부인 이주하(李舟河)를 체포함과 아울러 박헌영에 대한 체포령을 내리는 등 공산당의 위법활동에 대한 단속을 강화하고, 또 때마침 미군정이 철도종업원 감축과 임금지급방식의 일급제로의 변경계획을 발표하여 그에 대한 철도 노동자들의 불만이 고조되자 공산당은 노동자들의 총파업계획을 9월로 앞당겨 실행하기로 했다.

공산당은 철도 노동자들부터 파업을 개시하기로 결정했다. 당시 철도노동자들은 열악한 노동조건에서 일하고 있었으며, 미군정이 철도 노동자들의 감원을 추진하고 있어서 미군정에 대해 강한 반감을 가지고 있어 파업선동에 동조하기 쉬웠다. 게다가 철도 노동자들은 그들의 작업의 특성상 행동통일이 잘 되었다. 이런 요인들은 철도 노동자들을 총파업의 선봉에 내세우기에 적합했다.

공산당은 그들의 외곽단체인 노동조합전국평의회(전평)를 통해 미군정청 운수부 산하 철도국 경성공작창의 노조로 하여금 파업의 기초를 마련하도록 했다. 경성공작창의 노동자 3,700명은 9월 14일 일급제 반대, 임금 인상, 식량 배급 증량, 해고 반대 등을 주장하며 태업을 전개했다. 다음날 조선철도노조는 남조선철도종업원 대우개선투쟁위원회를 조직하고, 미군정 운수부 철도국장에게 일급제 반대, 임금 인상, 해고 감원 반대, 식량 배급량 확대, 민주적 노동법령 즉시 실시 등 6개항의 요구를 제시하고 1주일 내(21일까지)로 회답해줄 것을 요구했다. 미군정청 철도국은 경영난을 겪고 있어서 그러한 철도노조의 요구를 받아들일 수 없었다. 철도국은 21일이 되어도 회답을 보내지 않았다. 철도노조는 그날로 지방대표자회의를 개최, 철도국이 9월 23일까지 성의 있는 회답을 보내오지 않으면 총파업을 단행할 것을 결의했다.

부산지역의 철도노동자들은 철도국에 요구했던 회답통지 마감일인 23일 근무시간이 되기도 전인 그날 새벽부터 파업에 들어갔다. 철도노조는 미군정청 철도국으로부터의 회답도래 여부와 상관없이 파업을 단행할 계획이었던 것이다. 서울의 남조선철도종업원 대우개선투쟁위원회는 24일 자기들이 주장해온 6개항의 요구조건을 철도청에 다시 제출하고 그에 대한 만족할 만한 회답이 있을 때까지 그날부터 남조선 철도노동자의 총파업이 실시된다고 선언했다. 그러한 선언에 따라 서울과 기타 지방의 철도 노동자들이 총파업에 들어갔다. 철도 총파업이 선언되자 다른 산업분야의 노동자들이 동정파업을 전개하여 철도 총파업이 노동자 총파업으로 확대될 조짐을 보였다.

총파업은 25일부터 시작되었다. 이날 전평 산하 출판노조가 철도 총파업에 동조하여 좌익계 신문의 복간, 좌익인사들에 대한 체포령 철회 등을 요구하며 파업을 단행했고 철도·출판 이외 분야의 노동자들도 다수의 공장과 직장에서 파업을 단행했으며, 전평은 서울에 남조선 총파업투쟁위원회를 설치하여 총파업을 본격적으로 추진하기 시작했다. 이날 남조선철도종업원 대우개선투쟁위원회도 그 명칭을 남조선 철도종업원 총파업투쟁위원회로 개칭하고 용산의 경성기관구에 철도종업원총파업본부를 설치, 그곳에 수천 명의 노동자들을 모아놓고 농성을 시작했다.

25일의 출판노조 총파업을 기점으로 해서 다른 산업분야의 노동자들도 파업에 많이 참가하게 되었다. 이로써 공산당의 계획대로 철도 총파업은 한국사상 최초의 전국적 및 전 산업 부문의 노동자 총파업으로 확대된 것이다. 10월 초순까지 전국의 주요 도시와 공업지역의 많은 공장과 직장에서 파업이 전개되었고 심지어는 비록 소수이기는 해도 미군정의 일부 관공서 직원들과 국방경비대와 해안경비대의 일부 병사들이 노동자 총파업을 지원하는 투쟁을 전개했다.

도시의 소시민과 농촌지역의 농민들도 규모는 작지만 총파업에 동조하는 투쟁을 전개했다. 대학과 전문학교 및 중학교의 좌익학생들도 공산당의 지령에 따라 노동자들의 총파업에 호응하여 동맹휴학투쟁을 전개했다. 숙명여전이 24일 동맹휴학에 들어간 것을 신호로 하여 다수의 대학과 전문학교 및 중학교의 좌익학생들이 학원의 민주화, 불량교원 추방, 불법퇴학생 복교, 식민지 노예교육제도 반대 등을 주장하며 동맹휴학 투쟁을 전개하여 노−학연대를 과시했다.

한편, 총파업을 기획·지휘한 공산당은 표면에 나서지 않고 좌익진영의 통일전선기관인 민주주의민족전선(민전)을 전면에 내세워 파업을 고무·지원하는 정치투쟁을 전개했다. 공산당은 24일 '남조선 노동자 제군에게'라는 제목의 파업선동전단을 살포한 후 표면에 드러나는 파업지원 활동을 전개하지 않았다. 대신에 민전이 공산당의 지휘를 받아서 파업을 지지하는 성명을 발표하고 파업대책기구도 만드는 등의 활동을 전개했다. 민전은 25일 다음과 같은 성명을 발표했다.

"금번 철도종업원 4만 명의 대파업은 실로 우리 유사이래 초유사이다. … 북조선에서의 토지개혁, 민주노동법령 등 민주주의 제반 개혁이 실시되어 인민의 생활은 보장되고 산업경제는 착착 부흥 건설도상에 오르고 있는 것을 볼 때 우리는 인민정치의 위대한 힘을 발견한다. 남조선의 현상은 인민을 위한 인민의 정치가 행해지지 않는 것을 설명하는 것이다. 이번 철도종업원의 요구는 즉 우리의 요구이다. 이 요구가 관철되기를 바라마지 않는다."

    이러한 민전의 성명은 곧 총파업의 궁극적 목적이 북한지역에서 전개되는 일들이 남한지역에서도 전개되도록 하는 데 있음을 시사해 주고 있다.

    민전은 26일에는 허헌을 위원장으로 하여 파업대책위원회를 조직하여 노동자 총파업을 실태조사하고 지원하는 대책을 강구하기로 했으며, 28일에는 긴급의장단 회의를 소집하여 파업문제를 토의하고, 허헌·김원봉 등이 민전의장단을 대표하여 군정장관 러취를 방문하여 총파업에 대한 미군정의 부정적 대응을 비판했다.

    전평 산하의 좌익노동자들이 이처럼 총파업으로 전국의 교통·통신을 마비시키고 사회혼란을 초래하자 대한독립촉성노동총연맹(대한노총) 산하의 우익노동자들이 파업분쇄 투쟁에 나섰다. 우익노동자들은 우익청년단체의 도움을 받아 여러 공장과 직장에서 파업철회 투쟁을 전개했으며, 특히 철도청의 우익노동자들은 철도청과 교섭하여 노동자들의 요구를 합리적인 수준에서 수용하도록 하는 한편, 경찰 및 우익청년단체와 합세하여 좌익노동자들의 파업을 분쇄하는 투쟁을 전개했다.

    우익노동자들은 경찰 및 우익청년단의 협조를 받아 9월 30일 서울 용산에 위치한 경성기관구에서 2천여 명의 노동자들이 농성투쟁을 전개하고 있는 철도총파업본부를 습격, 그 기구를 해체시키고 농성노동자들을 해산시켰다. 뒤이어 10월 1일에 열차운행을 복구하는 투쟁을 전개했다. 이후 좌·우익 노동단체에 가입하지 않은 무소속 노동자들이 우익노동자들에게 동조하여 출근함으로써 철도 운행 복구가 확대되었으며, 대한노총의 주도하에 철도노동자들과 미군정청이 협약을 체결, 철도 파업이 완전 종결되었다. 총파업 투쟁의 중심부인 철도파

업이 붕괴되자 좌익노동자들이 주동한 다른 산업분야에서의 파업도
뒤따라 종료되었다.

10월 폭동

좌익노동자들의 주도하에 전개된 도시지역의 9월 총파업은 농촌지
역의 10월 폭동으로 연결되었다. 10월 농민폭동은 대구에서 시작되었
다. 대구의 폭동은 대구지역의 노동자 총파업의 연장선상에서 촉발되
었다. 대구에서의 총파업이 대구폭동으로 확대되고, 대구폭동이 대구
인근의 경북지역 농촌에서의 폭동으로 확대되었으며, 경북 농촌지역
폭동이 다시 전국적인 농촌지역 폭동으로 확대되었다.

해방 직후 대구지역에서는 좌익세력이 크게 성장 유지되어 왔었고
경찰과 우익의 진압노력이 강력하지 못했던 탓으로 대구지역에서의 9
월 총파업은 다른 지역에 비해 강도 높게 전개되었다. 대구에서는 23
일부터 철도노동자 파업이 시작되었고, 25일부터는 우편국 노동자들
과 섬유공장·금속공장 등 기타 일반 공장 노동자들의 파업이 시작되
었다. 27일에는 공산당 대구시당위원장, 전평경북평의회의장, 경북도
인민위원장 등이 주도하여 전평경북평의회의장 윤장혁을 위원장으로
하는 남조선노동자총파업 대구시투쟁위원회를 구성하여 보다 조직적
으로 파업을 선동·지도했다. 대구지역 출판노조도 파업에 들어가 29
일부터는 대구지역의 신문 발행이 중지되었다. 9월 총파업 시기 대구
에서 총파업에 참여한 노동자수는 30여 업체의 5천여 명에 달했다.
당시의 대구지역 산업상황에 비추어 볼 때, 그러한 파업 노동자수는

매우 많은 것이었다.

총파업 대구시투쟁위원회는 대구역전 광장에 인접한 전평 경북도평의회사무소에 투쟁위원회 간판을 걸어놓고 그 앞에서 연일 노동자집회를 개최하여 노동자들과 일반 대중의 파업 참여를 선동했다. 경찰은 대구시투쟁위원회가 전개하는 군중선동에 불온한 기운을 감지하고 9월 30일 전평 경북평의회에 대해 총파업 대구시투쟁위원회 간판을 철거할 것을 명령했다. 전평 경북평의회측이 간판을 철거하지 않자 경찰이 직접 철거하려고 나섰고 이때부터 경찰과 파업노동자 및 좌익세력이 동원한 일반 군중간에 직접적인 충돌이 발생했다.

대구의 좌익진영은 경찰과 노동자-군중간의 대결 기운이 고조된 것을 이용하여 군중폭동을 유도했다. 좌익진영은 10월 1일 저소득층 부녀자 1천여 명을 동원하여 '쌀을 달라'는 구호를 외치며 시위를 전개하고 대구시청의 현관과 유리창을 파괴하는 등의 소동을 벌이게 했다. 당시 남한지역에서는 전반적으로 쌀이 부족했던 데다가 철도파업으로

좌익분자의 허위선전에 속아 쌀을 달라며 시위하는 주부들

인해 식량과 생필품이 수송되지 않았다. 대구의 식량사정 및 민생상황도 악화되어 있었기 때문에 '쌀을 달라'는 구호를 내건 시위에 부녀자들을 동원하기가 용이했고 그러한 부녀자들의 시위에 대한 시민들의 동조도 강했다.

같은 날 일단의 파업노동자들은 전평 경북평의회사무실이 위치한 역전 광장에 노동자와 일반시민이 혼성된 군중집회를 개최하여, 군중집회를 해산하기 위해 출동한 경찰과 대치했다. 그러한 대치가 계속되는 동안 인접장소에서 파업 중이던 운수노동자들과 운수경찰관간의 충돌이 발생, 경찰관들이 노동자들로부터 철봉 등으로 구타당했다. 이 사건의 여파로 역전 광장에서 대치 중이던 경찰과 군중간의 충돌이 확대되었다. 군중은 경찰을 향해 돌을 던졌고, 경찰은 투석하는 군중의 공격을 저지하기 위해 위협발사를 했다. 그 과정에서 군중 가운데 1명이 총탄에 맞아 사망했다.

노동자들과 경찰의 충돌, 부녀자들의 쌀 요구 시위, 경찰의 발포에 의한 사망자 발생 등의 사건이 상승작용하여 폭동의 분위기가 고조된 가운데, 10월 2일에는 보다 큰 규모의 군중집회가 개최되었다. 공산당 대구책임자의 지휘 하에 좌익학생들이 주도하는 학생시위대가 그에 가세함으로써 마침내 노-학-시민 3자연대의 폭동으로 발전했다. 좌익학생들은 전날 경찰의 총탄에 사망한 학생의 시체라고 주장하며 시체 한 구를 들것에 싣고 시위에 나섰으며, 흥분한 학생들과 그에 합세한 노동자와 시민들은 대구경찰서로 몰려가 경찰서를 포위했다. 마침 경찰서에는 역전 광장의 군중집회에 대응하기 위해 다수의 경찰병력이 그쪽으로 파견되어 있어서 경찰서를 수비할 병력도 부족했으며, 잔류 경찰관들은 총기 사용을 자제하고 말로써만 군중의 해산을 설득했고, 일부 젊은 경찰이 포위군중에 호응하여 경찰복장과 총을 버리고 군중에 합류하기까지 했다.

경찰이 이처럼 유약한 태도를 보이자 좌익학생들의 선도 하에 군중이 경찰서로 밀고 들어가 대구경찰서를 접수하여 경찰무기를 탈취하고 유치장을 개방했다. 경찰무기를 탈취한 폭도들은 100명 내지 200명씩 무장대를 조직하여 대구시내 요소들에 포진한 다음 경찰관과 우익인사들의 가옥을 습격·방화하고 경찰관과 우익인사들 및 그들의 가족들을 닥치는 대로 학살했다. 동시에 폭도들은 대구경찰서와 달성경찰서 산하의 26개지서와 파출소를 접수, 무기를 탈취하여 무장시위를 전개했다. 대구시는 좌익분자들이 주동하는 폭도들의 수중에 들어갔다.

폭동의 확대

미군정은 10월 2일 오후 6시를 기해 대구지역에 계엄령을 선포하고 다수의 미군병력을 대구에 파견했다. 압도적으로 우세한 화력을 가진 미군병력이 전차를 앞세우고 진입해오자 폭도들은 대구시내의 화물트럭을 비롯한 각종 운반수단을 징발하여 그것들을 타고 경비가 취약한 인근 농촌지역으로 분산하여 그 지역의 좌익분자들과 합세하여 폭동을 일으켰다. 대구폭동이 경북지역의 폭동으로 확산된 것이다. 대구에서 도주해온 좌익폭도들은 각 지역의 군 및 면의 인민위원회를 중심으로 결집된 좌익분자들과 합세하여 '경찰이 양민을 학살하려 한다'는 헛소문을 유포하면서 군중을 선동·동원했다. 좌익분자들은 일반 군중과 더불어 경찰서와 지서 및 우체국 등을 습격하여 점거 파괴하고 경찰관과 우익인사 및 그 가족들을 학살하고 그들의 가옥을 불질렀다.

경북지역의 폭동은 경북의 22개 군 중 6개 군을 제외한 16개 군에서 발생했다. 대구 인접 군에서는 대구에서 도주해 온 폭도와 지역의 좌익이 합세하여 폭동을 일으켰으나 문경·영주·봉화 등 대구로부터 거리가 먼 곳에서는 대구로부터의 폭도 유입이 없이 지역의 좌익세력이 독자적으로 폭동을 일으켰다. 폭동이 일어나지 않은 군은 경찰과 우익세력이 사전 경계태세를 강화하여 좌익의 폭동기도를 차단했거나 그 전에 좌우충돌이 심각하게 발생하여 우익세력이 강화된 곳이었다.

10월 2일부터 6일 사이에 각 군(혹은 면) 단위로 발생한 경북지역의 폭동은 외부로부터 폭동진압 경찰병력이 투입됨으로써 진압되었고 폭동에 참가했던 좌익분자와 그에 부화뇌동했던 주민들은 타 지역으로 도주하거나 자기 고향 인근의 산악지대로 숨어 들어가 게릴라가 되었다. 대구—경북지역에서의 폭동에 뒤이어 10월 7일부터는 경북에 인접한 경남지역의 군들에서 일련의 폭동이 발생했다. 14일까지 군단위로 산발적으로 진행된 경남지역의 폭동은 경남의 18개 군 중 10개 군에서 발생했다.

영남지역의 폭동에 뒤이어 공산당(남로당) 및 그 주위의 좌익세력은 10월 17일부터 19일까지는 충남지역에서, 10월 20일부터 22일까지는 경기·황해지역에서, 10월 29일부터 11월 첫 주까지는 강원지역과 전남지역에서 대구—경북지역의 폭동을 모델로 한 대·소규모의 폭동을 일으켰으며, 그러한 폭동 공세는 12월 중순까지 간헐적으로 계속되었다. 폭동이 발생한 군의 수는 당시 전국의 131개 군의 약 절반에 해당하는 56개 군이었다. 이처럼 좌익의 폭동이 광범한 지역에서 발생하게 된 데는 미군정의 실정, 경찰에 대한 대중의 불만 등도 작용했다. 그러나 그런 요인들은 부차적인 것이었다.

이러한 폭동을 통해 좌익세력은 각지에서 많은 수의 경찰관과 우익인사 및 그 가족들을 살해함으로써 경찰과 우익진영의 좌익에 대한 공격능력에 많은 타격을 주었다. 그로인해 남한 사회에서 우익세력의 규모와 투쟁역량이 축소된 데 반해 좌익세력의 규모와 투쟁역량은 크게 확대되었다. 폭동이 끝난 후 인민위원회를 중심으로 활동하던 각 농촌지역의 좌익분자들은 경찰과 우익진영의 보복을 피해 산악지대로 잠입, 게릴라화되어 훗날 대한민국 건국을 저지하는 무장투쟁의 기초 역량을 형성했다.

당시 공산당(남로당)을 비롯한 좌익은 이 폭동을 '위대한 10월 인민항쟁'이라고 찬양했다. 오늘날에도 우리 사회에서 10월 폭동을 '인민항쟁' 또는 '민중항쟁'이라고 부르고 있는 사람들이 많다. 군중들의 폭력적 집단행동을 인민(민중)항쟁으로 부르느냐 폭동으로 부르느냐 하는 것은 부르는 사람의 사상에 따라 좌우된다. 그러한 군중들의 폭력적 집단행동을 이끈 사상과 동일한 사상을 가졌거나 그에 동정적인 입장에 있는 사람들은 그것을 인민(민중)항쟁이라 부르고 그들과 반대되는 사상을 가졌거나 그에 비판적인 입장에 있는 사람들은 그것을 폭동이라고 부르는 것이다. 그런 점에서 볼 때, 오늘날 공산주의자나 그 동조자들이 10월 폭동을 '인민항쟁'이나 '민중항쟁'이라고 부르는 것은 논리적으로 무리한 일이라 할 수 없다. 그러나 스스로를 공산주의자도 그 동조자도 아니라고 주장하면서 10월 폭동을 '인민항쟁'이나 '민중항쟁'이라고 호칭하는 것은 타당하지 않다.

제7장

유엔의 한국문제 결의

한국문제의 유엔 상정

한반도의 독립·통일 문제를 해결하기 위해 개최된 미·소공동위원회가 아무런 진전을 이루지 못하고 교착상태에 빠지자 미국은 1947년 9월 한국문제의 해결을 유엔에 맡기기로 했다. 미국이 한반도 문제를 유엔으로 이관하는 것은 미국의 대한정책이 남한지역에 단독정부를 수립하는 쪽으로 굳어졌음을 뜻한다. 미국은 한국문제를 유엔총회에 상정하면서도 겉으로는 한반도의 통일된 독립을 추구하기 위해서라고 주장했지만, 북한을 점령하고 있는 소련이 유엔을 통한 한반도 문제 해결에 절대 반대할 것이 분명하기 때문에 한국 문제의 유엔 상정은 곧 미국이 남한지역의 단독정부 수립을 염두에 두고 취한 조치라고 해석할 수 있다.

실제로 한국문제를 모스크바협정에서 이탈시켜 유엔에 상정키로 하는 앨리슨 계획에는 한국문제의 유엔 이관과 더불어 남한지역에서의 단독정부 구성에 관한 내용이 포함되어 있었다. 그 계획에 따르면, 한국문제를 유엔에 상정함과 동시에 남한지역에서 유엔 감시하에 임시의회 선거를 실시하고 그 임시의회로 하여금 임시행정부를 구성하도록 되어 있다. 그러한 의회와 행정부는 표현상으로는 한국통일을 준비하기 위한 '임시적'인 것으로 되어 있지만, 임시적인 것이라 할지라도 남한지역의 단독적 정부인 것만은 틀림없다.

남한에서 활동하는 미군사령관이나 정치고문들은 남북한의 현실을 직접 경험하면서 일찍부터 남한에서 단독정부를 구성하는 것이 불가피하다는 견해를 가져왔다. 미국정부도 한반도 문제가 모스크바협정의 틀 속에서 미·소 합의에 의해 해결되지 못할 경우 선택하게 될 대안으로서 남한지역의 단독정부 수립을 고려해왔다. 미국의 정책이 그렇게 된 것은 남한지역의 단독정부 수립이 미국의 대한정책의 주된 목표였다거나 남한의 단독정부가 미국의 국가이익에 기여할 것이라고 평가했기 때문이어서가 아니었다. 미국이 남한지역에 단독정부를 수립하기로 작정한 것은 그러한 조치가 당시 미국이 추구하고 있던 대한정책의 주된 목적을 달성하는데 필요한 조치였기 때문이었다. 당시 미국정부가 추구했던 주된 목적은 남한지역에 주둔하고 있는 미군을 가능한 한 조속히, 그러면서도 '품위 있게' 철수하는 것이었다. 여기서 말하는 '품위 있게'라는 단어의 정치적 의미는 '미국의 국가적 위신을 손상하지 않는 방법으로'이고, 보다 구체적으로 말하자면 '미군이 남한에서 철수하자마자 남한이 공산화됨으로써 미국이 남한의 공산화를 방치하고 무책임하게 주한미군을 철수했다는 인상을 국제사회에 주지 않을 수 있는 방법으로' 인 것이다.

제2차 미소공위가 결렬의 국면에 빠져서 미·소합의에 의한 한반도 문제해결이 불가능하다는 것이 명백해진 시점에서 주한미군정의 고위관리들은 남한지역에서 건전한 민주적 정체가 수립·운영될 가능성이 희박하며, 미국이 남한을 자생력 있는 민주국가로 발전시키려면 미군이 5년 이상 더 주둔하면서 엄청난 비용을 투입해야 하기 때문에 미국은 미군철수 후 남한의 운명이 어떻게 되건 상관하지 말고 미군을 가능한 한 조속히 철수하는 것이 '유일하고도 안전한' 대안이라고 미국 정부에 건의하고 있었다. 비슷한 시기에 미국정부도 남한에 미군을 주둔시키는 것은 미국에 아무런 전략적 가치도 제공하지 않는 것이기 때문에 엄청난 비용을 투입하면서 미군을 남한에 계속 주둔시킬 필요가 없다는 결론을 내리고 가능한 한 조속히 그리고 품위 있게 주한미군을 철수시킨다는 정책을 결정해 놓고 있었다. 당시 서울의 미군정 관리들이나 워싱턴의 정보기관은 미군이 철수하고 나면 남한이 조만간 공산화될 것으로 예측하고 있었다.

요컨대, 미국은 미군철수 후에 남한이 공산화되는 것을 불가피한 사태로 받아들이면서, 다만 그러한 사태가 미군철수와 동시에 또는 직후에 발생함으로써 미국의 국가적 위신이 크게 손상되는 것을 피하는 조건하에 주한미군을 철수하려는 정책을 취하고 있었던 것이다.

바로 이러한 정책목적을 달성하기 위해서 미국은 한반도 문제에 대해 유엔을 개입시키고 남한에 정부를 수립하는 조치들을 강구했던 것이다. 남한에 정부를 수립하는 것은 그러한 미국의 정책목적을 달성하는 데 필수적인 조치이다. 만일 남한에 정부가 수립되지도 않은 상태에서 미군이 철수한다면 남한은 미군철수와 동시에 내란과 공산화의 길로 들어서게 될 것이 명약관화했기 때문이었다. 한반도 문제에 유엔을 개입시킨 것은 미국이 한반도 문제 해결을 일방적으로 포기하고 미군을 무책임하게 철수했다는 비판을 국제사회로부터 받지 않게 만들고, 남한에 정부를 수립하는 일을 유엔의 협조하에 보다 정당하게 수행할 수 있기를 기대하여 취한 조치라 할 수 있다.

미국이 '조선독립의 문제' 즉 한국문제를 유엔총회에서 심의·처리해 줄 것을 요청한 후, 소련은 유엔총회의 한국문제 심의·처리를 저지하기 위해 유엔 안팎에서 여러 가지로 노력했다. 소련의 노력은 유엔 회원국들의 지지를 받지 못했다. 유엔총회는 9월 23일 한국문제를 유엔총회의 의제로 상정하자는 미국의 제의를 표결에 부쳐 찬성 41, 반대 6, 기권 7로 통과시켰다.

유엔총회의 한국문제 결의

유엔총회가 한국문제를 의제로 선정하자, 소련은 한국문제를 유엔에서 심의·처리하지 말고, 남한 주둔 미군과 북한 주둔 소련군을 1948년 초까지 동시에 철수하여 한국의 민족정부 수립을 한국인민 자신들에게 맡기자고 제의했다. 이러한 소련측 제의는, 북한지역에서는 단독 공산정권이 정착되어 있고 남한지역에서는 정치세력들이 좌·우·중도로 분열되어 치열한 경쟁을 전개하고 있는 당시의 한반도 정세에 비추어보면 한반도 전체의 공산화를 초래할 가능성이 농후한 것이었다. 유엔총회는 소련의 제의를 무시하고 한국문제의 심의를 위해 한국문제를 유엔총회 정치위원회로 이송했다.

유엔총회 정치위원회는 10월 28일부터 한국문제를 본격적으로 심의했다. 정치위원회에서는 미국측 결의안과 소련측 결의안이 경합했다. 정치위원회는 11월 5일 미국측 결의안이 대폭 반영된 결의안을 채택했다. 유엔총회 정치위원회에서 통과된 한국문제에 대한 결의안은 최종 심의를 위해 유엔총회 본회의에 회부되었다. 유엔총회의 심의가 시작되자 소련은 미국측 결의안을 "한국민을 노예화시키고 한국을 미국의 식민지로 전락시키려는 미국의 음모를 위장하기 위한 눈가림장치에 불과하다", "남한은 정치적으로는 동아시아지역에서의 반동의 중심부로 화하고 있으며 영토적으로는 일종의 미국기지로 간주되고 있음이 분명하다"는 등으로 비난하면서 유엔총회가 미국측 결의안을 유엔총회의 결의로 채택한다면 소련은 그에 따르지 않을 것이라고 선언했다.

유엔총회 본회의는 11월 14일 정치위원회가 통과시킨 한국문제 결의안을 찬성 43, 반대 0, 기권 6으로 유엔총회의 결의로 채택했다. 이날 채택된 한국문제에 대한 유엔총회 결의의 내용은 I과 II 두 개 부분으로 구성되어 있으며 주요 내용은 다음과 같다.

<I>

1. 선거를 통해 선출된 한국인민의 대표들은 유엔총회의 한국문제 심의에 참여하도록 초청된다.

2. 그러한 참여를 용이하게 하고 촉진하기 위해서, 그리고 한국의 대표들이 한국에 주둔하는 군정당국들에 의해 임명되는 것이 아니라 한국인민들에 의해 실제로 정당하게 선출되는지를 감시하기 위해서 한국 전역에서 여행하고 감시하고 협의할 권한을 가지고 한국에 체류할 유엔한국임시위원단을 즉시 구성한다.

<II>

1. 위원단은 오스트레일리아, 캐나다, 중국, 엘살바도르, 프랑스, 인도, 필리핀, 시리아, 우크라이나공화국 등의 대표들로 구성된다.

2. 한국인민대표들을 선출하기 위한 선거는 1948년 3월 31일 이전에 성인 보통선거제에 기초하여 비밀투표 방식에 의해 실시될 것이며, 선출된 대표들은 위원단과 한국인민의 신속한 자유와 독립의 달성과 관련하여 협의하고 국회를 구성하고 한국의 민족정부를 수립하게 될 것이다. 각 투표지역으로부터 선출될 대표들의 수는 인구에 비례할 것이며, 선거는 위원단의 감시하에 실시될 것이다.

3. 선거가 실시된 후 가능한 한 빨리 국회가 소집되어 민족정부를 구성하고 그 구성 사실을 위원단에 통고해야 한다.

4. 민족정부 구성 즉시 그 정부는 위원단과 협의하여 (a) 정규군을 조직하고 정규군에 포함되지 않는 모든 군사단체 및 준군사단체들을 해체하고, (b) 남북한의 군사령부 및 민정당국으로부터 정부의 기능을 인수하고, (c) 가능하다면 90일 이내의 빠른 시일 내에 남북한으로부터 점령군을 완전 철수하도록 점령국가들과 조정한다.

5. 위원단은 자기들의 활동을 통해 내려진 결론들을 유엔총회에 보고할 것이며, 사태 추이에 비추어 본 결의의 적용에 관한 문제들을 유엔소총회와 협의할 수 있다. …

유엔 결의에 대한 국내 정치세력들의 반응

유엔총회가 유엔 감시하의 남북한총선을 결의하자 좌익을 제외한 남한지역의 모든 정치세력은 기대에 부풀었다. 일제로부터 해방된 지 2년이 넘도록 통일된 독립정부를 수립하지 못하고 있는 현실에 대해 불만을 품고 있던 정치세력들과 일반 국민들은 '이제는 통일된 독립정부가 수립되려나 보다'라는 생각을 갖게 되었던 것이다.

유엔총회 결의를 가장 반기는 세력은 말할 것도 없이 우익진영이었다. 독촉국민회를 비롯한 우익진영 14개 단체는 유엔총회가 한국문제에 대한 결의를 채택하자마자 즉각(11월 15일 오전) 유엔결정 감사 및 총선거촉진국민대회를 개최했다. 이 대회는 "지금까지 총선거도 못하고 정부도 없이 지낸 우리에게 마침내 공정한 처결을 주장한 유엔의 목적을 하루라도 빨리 성공하기 바라며 우리는 … 남한총선거를 급속히 진행하여 우리 국회를 세워서 유엔의 노력을 합의 협조하기로 결심한다"는 내용의 유엔결정 감사결의문을 채택했다. 대회는 또 하지에게 1947년 말 이전에 남한총선을 실시하여 국회를 구성하고 그 국회에서 국민을 대변하는 대표를 선정, 앞으로 방한할 유엔위원단과 협의할 수 있도록 해달라고 촉구하고 만일 하지가 그에 불응하면 우익진영이 독자적으로 선거를 실시하겠다고 선언했다.

우익진영 정당·단체들은 이러한 국민대회 개최와 더불어 유엔총회 결의를 크게 환영한다는 성명들을 경쟁적으로 발표했다. 그 중에서도 한국민족대표자대회는 유엔총회 결의에 대한 국민적 지지를 천명하면서 아울러 "소련의 거부로 인하여 남북통일 총선거가 … 곤란하므로 그때에 대비하여 언제든지 국회로 변작할 수 있는 대의원 선출은 절대 필요한 것이며 또 유엔위원단이 도달할 때 협의 상대될 수 있는 민족대표를 구성해야 한다"고 주장했다. 이 성명은 유엔총회 결의를 환영하는데 그치지 않고 한 걸음 더 나아가 유엔총회 결의를 계기로 남한총선 실시의 필요성을 강조한 것이다.

이러한 우익진영의 입장은 유엔총회 결의에도 불구하고 그에 대한 소련의 보이콧으로 인해 남북통일선거 실시가 어려울 것이라는 정세판단에 입각한 것이다. 어차피 남북통일선거가 실시되지 못할 바에는 남한만의 총선이라도 조속히 실시하자는 것이다.

우익진영에서는 오로지 한독당만 유엔총회 결의에 대해 아무런 성명도 발표하지 않고 침묵을 지켰다. 유엔총회에 우리 민족대표가 참석하지 않아 자세한 내용을 알 수 없으므로 그에 대한 논평을 보류한다는 입장이었다. 중도파에 속하는 민족자주연맹 준비위원회나 민주독립당이 유엔 결의에 대해 적극적인 환영 입장을 취한 것에 비교해 볼 때, 우익진영에 속하는 한독당이 그러한 태도를 취했다는 것은 이상하게 보인다. 한독당은 그 지도자인 김구의 우익성향으로 인해 우익진영에 속하긴 했지만, 구성원들의 사상성향이 다양했으며, 그 무렵에는 이승만과 김구 간의 관계가 소원해진 틈을 이용하여 중도좌파 성향 인사들의 당내 영향력이 증대되고 있었기 때문에 유엔총회 결의에 대해 그런 태도를 보였던 것이다.

중도파세력 가운데 김규식을 추종하는 집단인 민족자주연맹 결성 준비위원회는 유엔총회 결의에 대해 "유엔이 조선의 통일 자주독립 완성을 위하여 결의를 한 것은 매우 감사한 일이다"라고 환영하는 성명을 발표했고, 홍명희가 이끄는 민주독립당도 "유엔총회에서 통과된 조선에 관한 결의안을 전폭적으로 지지한다. 동시에 우방 열국의 노력에 대해 경의를 표한다"는 성명을 발표했다.

중도파진영에서 중도좌파에 속하는 정당과 단체들은 유엔총회 결의에 대해 부정적인 입장을 천명했다. 강한 좌익편향성을 가진 중도파정당 연합체인 각정당협의회(당시는 12개 정당 참여)는 유엔총회 결의가 우리 민족의 의사표시 없이 결정되었고, 남북분열을 초래할 우려가 있는 오류를 내포하고 있다고 비판하면서, "미·소 양군의 조속철퇴를 요구하며 그의 대책으로 남북정당대표회의를 구성하여 국제적으로 우려된다는 소위 진공상태를 해소하고 자주적 남북통일정부 수립을 시행하자"는 공동성명을 발표했다. 유엔총회 결의에 대한 각정당협의회의 이러한 성명 내용은 소련과 북한정권의 주장을 사실상 복창한 것이다.

남한의 좌익세력은 한국문제가 유엔총회에 상정되는 것 자체를 반대했으므로 유엔총회 결의에 대해 철저한 반대 입장을 취했음은 두말할 필요도 없다. 남로당은 유엔 결의를 비난하면서 유엔결의 반대 군중투쟁에 주력했다. 민주주의민족전선을 앞세운 좌익세력의 군중집회는 유엔결의를 한국을 미국의 식민지로 만들려는 것이라고 비난하면서 유엔결의를 무효화하고 소련의 제안을 받아들여야 한다고 주장했다.

유엔한국임시위원단의 활동

유엔한국임시위원단은 한국의 독립문제에 관한 유엔총회 결의에 적시된 위원단의 임무를 수행하기 위해 1948년 1월 8일 서울에 도착했다. 그들이 서울에 도착한 다음날 북한정권은 유엔위원단에 대해 매우 적대적인 반응을 보였다. 북한정권의 집권자인 김일성은 9일 평양에서 개최된 한 군중대회의 연설에서 유엔위원단이 북한에 한 발짝도 못 들여놓을 것이라고 선언했다. 또한 평양방송은 그날 밤 유엔조선임시위원단은 미제국주의의 주구이며 한국을 식민지화하려는 계획을 가지고 있다고 비난했다. 당초 유엔이 지명한 9개국 중 불참 입장을 천명한 우크라이나공화국을 제외한 8개국 대표들로 구성된 유엔위원단은 3월 31일까지 남북한총선을 실시한다는 목표 아래 1월 12일부터 유엔총회가 그들에게 부여한 임무를 수행했다.

유엔위원단은 12일 서울에서의 첫 번째 회의를 개최하고 위원단의 임시의장에 인도대표 메논(K. P. S. Menon)을 선출했다. 위원단은 1월 15일 회의에서 남북한지역의 점령군사령관들과 위원단간의 '적절한 인사교환'을 실시할 것과 그에 관한 준비를 위해 의장 메논이 남한 주둔 미군사령관과 북한 주둔 소련군사령관을 예방하기로 결의했다. 다음날에는 메논의 예방의사를 통고하는 서한을 남한의 미군사령관과 북한의 소련군사령관에게 발송했다.

남한 주둔 미군사령관 하지는 1월 19일 유엔위원단의 활동에 기여할 수 있는 것이라면 무엇이든지 최선을 다해서 협조할 것을 약속하는 회답을 보내왔다. 그러한 회신에 따라 메논은 20일 하지를 예방했다. 그러나 북한 주둔 소련군사령관은 메논의 서한을 묵살하고 아무런 반응을 나타내지 않았다. 소련은 유엔총회 정치위원회에서 유엔한국임시위원단 구성문제가 미국에 의해 제기되었을 때부터 그에 대한 불참과 비협조의 입장을 밝혔었기 때문에 북한주둔 소련군사령관의 그러한 반응은 놀라울 것이 없는 것이었다. 북한주둔 소련군이 유엔위원단의 북한입경 통고를 묵살하고 있는 가운데 소련의 유엔대표 그로미코(Andrei Gromyko)는 1월 22일 소련이 앞서 유엔총회에서 밝혔던 바대로 유엔한국임시위원단에 협조하지 않을 것임을 유엔 사무총장에게 통고했다.

소련의 거부 입장 천명으로 인해 유엔위원단의 북한에서의 활동이 불가능하다는 것이 분명해진 가운데, 위원단은 자기들의 임무수행을 위해 위원단 내에 3개 분과위원회를 구성했다. 제1분과위원회는 한국에서 선거의 자유분위기 확보를 위한 방법과 수단을 논의하기 위해서, 제2분과위원회는 선거와 정부수립문제에 대한 한국인들의 의견을 청취하기 위해서, 제3분과위원회는 남북한의 선거법규를 검토하고 선거와 관련된 양지역의 관리 및 전문가들의 견해를 타진하기 위해 각각 구성되었다.

유엔위원단은 자기들이 보낸 서한에 대한 북한 주둔 소련군사령관의 정식 회담을 기다리며 그 회답이 올 때까지 일단 남한지역에서의 활동을 진행하기로 했다. 그에 따라 위원단의 제2분과위원회와 제3분과위원회가 각 위원회에 배정된 활동을 전개했다.

위원단의 제2분과위원회는 1월 20일 정부수립 및 선거에 관한 각계각층 한국인의 의견을 청취하려고 하므로 의견을 피력하고자 하는 단체와 개인은 28일까지 의견서를 위원회에 제출해 줄 것을 공지했다. 제2분과위는 1월 26일부터 남한의 정치지도자들과 개별적인 면담을 가졌다. 제2분과위는 정치지도자들과의 면담에서 ① 자유로운 민주선거 실시를 위해 필요한 것과 방해되는 것이 무엇인가, ② 언론 집회 출판의 자유의 현황 및 선거 기간중의 그런 자유보장 가능성, ③ 48년 3월 31일까지 선거가 실시되어야 한다고 보는지, ④ 남북한의 정치범 현황 등을 중심으로 의견을 물었다.

3거두의 입장 차이

1월 26일 오전 위원단과 첫 번째로 면담한 이승만은 유엔위원단이 3~4주일 내로 과도선거를 실시하여 민선 민족대표단을 구성하여 그들과 협의하든지, 아니면 조속히 남한총선을 실시하여 남한에 통일정부를 수립하여 그 정부를 원조해서 북한 영토를 회복토록 하라고 주장했다. 이러한 이승만의 입장은 그가 1945년 10월 귀국한 이래 일관되게 취해온 입장이다.

김구는 26일 오후에 위원단과 면담했다. 위원단과의 면담에 앞서 김규식과 만나 위원단에 피력할 의견을 조율한 바 있는 김구는 위원단에게 미·소 양군 철수 후 남북 요인회담을 통하여 선거준비를 한 후 총선거를 하여 통일정부를 수립해야 한다고 주장했다. 김구는 이틀 뒤 자신의 입장을 보다 분명하게 하기 위해 면담과는 별도로 위원단에 보낸 자기의 의견서를 공개했다. 그 의견서에서는 "소군정의 세력을 등지고 〔북한의〕 공산당이 비민주적으로 선거를 진행한 것과 같이 남한에서도 미군정하에 모 1개 정당이 선거를 단(斷)하리라는 것은 거의 남한의 여론이 되어 있다"고 주장했다. 김구가 언급한 '모 1개 정당'은 한민당을 뜻한다. 김구의 이러한 입장은 그가 1947년 12월 하순까지 유지했던 유엔 결의 지지와 소련 제안 반대의 입장을 뒤집은 것이다.

김규식은 27일 오전에 위원단과 면담했다. 김규식은 면담을 마치고 나서 기자들에게 위원단에게 한 말을 전했다. 그는 유엔위원단에 남북 요인회담을 주선해 줄 것과 미·소군 철수는 철군준비를 하고 나서 실행해 줄 것을 요청하고, 아울러 "유엔위원단이 이것〔남한 단정〕을 주장하면 그 결과는 한국의 북반을 영원히 타국의 위성국이나 연방으로 만들게 되고 이 결과가 다시 남한까지 위성국화 내지 연방화 될 것"이라고 주장했다. 김규식의 이러한 주장은 유엔 결의 직후 유엔 결의를 지지하고 소련의 제안을 반대했던 그의 입장을 번복한 것이다. 김규식은 자기의 의견을 밑받침하기 위해 다음과 같은 말도 했다.

"현실은 남한이 방위력이 없습니다. 남한은 2만 5천 명의 경찰을 가지고 있습니다. 내가 정확한 숫자는 모르지만 남한은 경찰, 방위대, 경비대, 해상경비대를 포함하여 5만명 정도의 방위력을 가지고 있습니다. 북한은 잘 훈련되고 잘 무장된 50만의 병력을 보유하고 있는 것으로 추정됩니다. 나는 지난 가을 만주로부터 중국국민당군에 대항하여 8로군과 더불어 싸우고 있는 한국인 의용군 수가 당시 약 25만 명 정도라는 명확한 보고를 받은 바 있습니다. 나는 그들의 숫자가 적어도 30만 정도로 증가되었을 것으로 감히 말할 수 있습니다. 그렇게 해서 북한에는 30만과 50만을 합한 80만의 병력이 있게 되는 것입니다. … 미군과 소련군이 철수하고 한국을 혼자 내버려두면 단련된 전사들인 80만의 훈련된 병사들이 남게 될 것이며 그들 중 일부가 어느 순간에 쓸고 내려와서 남한에 전한국 소비에트정부를 조직할는지도 모릅니다."

이러한 김규식의 주장은 미·소 양군의 조기 동시철수를 지지하고 남한 단독정부 수립을 반대하는 그의 입장을 밑받침하기 보다는 그의 입장이 타당하지 않은 것임을 밑받침해준다. 북한의 군사력이 그토록 강하며 북한으로부터의 남침 위험성이 그토록 크다면, 미군의 남한 주둔은 보다 오래 연장되어야 하고 남한에서 조속히 정부가 수립되어 북한군의 남침에 대비할 수 있는 군비를 강화해야 할 것이기 때문이다.

제2분과위가 이처럼 의견수렴 활동을 전개하는 동안 제3분과위는 분과위 법률고문을 동원하여 과도입법의원 대표들과 선거법에 관한 협의를 진행했다.

유엔소총회의 결의

　유엔위원단은 1948년 1월 말부터 소련의 거부로 북한지역에서 위원단의 활동이 불가능한 것이 분명한 상황에서 위원단이 어떤 조치를 취해야 할 것인가를 논의했다. 논의과정에서 위원단의 향후 행동방침과 관련하여 유엔소총회에 문의할 것인지 여부가 쟁점으로 부각되었다. 이 쟁점을 둘러싸고 위원단에서는 두 개의 의견이 대립되었다. 하나는 유엔소총회에 보고할 필요도 없이 위원단의 활동이 가능한 지역, 즉, 미군 점령하의 남한지역에서 유엔총회 결의를 이행하자는 의견이다. 다른 하나는 유엔총회 결의는 남북한 전체의 총선거 실시에 관한 것이므로 유엔위원단의 북한지역 활동이 불가능하다 하여 위원단 임의로 남한지역에서만 총선거 실시를 추진할 수 없으며, 한반도의 상황 전개를 유엔소총회에 즉각 보고하고 소총회로부터 위원단의 향후 방침에 대한 답변을 듣고 그에 따라 위원단이 활동해야 한다는 의견이다. 유엔위원단은 대립된 두 의견을 놓고 2월 6일 표결을 실시했으며, 그 결과 유엔소총회에 문의하자는 의견이 찬성 4, 반대 3, 기권 1로 채택되었다.

　위원단은 유엔소총회에 대해 ① 소련이 위원단의 활동을 거부하고 있는 상황에서 위원단은 한국문제에 대한 유엔총회의 결의를 이행하기 위한 조치를 취할 것인지 여부, ② 위원단이 그러한 조치를 취한다면 유엔총회 결의의 I부를 기준으로 할 것인지 아니면 유엔총회 결의의 II부를 기준으로 할 것인지 여부를 묻기로 결정하고, 그러한 위원단의 뜻을 전달하기 위해 위원단 의장 메논을 유엔소총회에 파견하기로 결정했다.

서울에서 활동 중인 유엔임시위원단으로부터 향후의 활동방침에 대한 지시를 주문받은 유엔소총회는 2월 19일부터 한국문제를 토의했다. 유엔소총회에는 소련진영이 불참했다. 그들은 소총회가 유엔헌장에 위반된 것이라는 입장을 고수하며 소총회를 보이콧했다. 유엔소총회의 한국문제 심의는 미국의 주도 아래 쉽게 진행되었다. 유엔소총회는 2월 26일 미국이 제출한 결의안을 놓고 표결을 실시했다. 표결 결과 찬성 31, 반대 2, 기권 11로 미국측 결의안이 채택되었다. 이날 유엔소총회가 채택한 결의의 내용은 다음과 같다.

　　"본 소총회의 견해로는 1947년 11월 14일의 유엔총회 결의의 내용상으로나 그날 이후 한국과 관련된 상황 전개에 비추어 볼 때, 위원단이 접근할 수 있는 한국의 지역에서 결의 II부에 개술된 계획을 이행하는 것은 유엔조선임시위원단에 의무로 부과된 것이다."

　유엔임시위원단이 자기들의 향후 행동방침에 대해 유엔소총회에 문의했던 것에 대한 유엔소총회의 답변에 해당하는 이 결의는 유엔임시위원단이 활동 가능한 지역, 바꾸어 말해서 자유총선이 가능한 남한에서 국회 구성과 독립정부 수립을 위한 총선이 실시되도록 의무적으로 노력할 것을 지시한 것이다. 유엔소총회는 이러한 결의와 아울러 유엔위원단이 감시할 선거는 언론·출판·집회의 자유가 보장되는 자유로운 분위기 속에서 실시되어야 할 것이며 주한미군당국은 그러한 목적을 위해 유엔위원단에 완벽한 협조를 할 것임을 약속한다는 미국측의 설명각서를 채택했다.

　서울에 있던 유엔위원단의 위원들은 2월 28일 비공식회의를 개최하고 유엔소총회의 결의를 받아들여 5월 10일 이전에 위원단이 접근 가능한 지역에서 실시되는 선거를 감시하기로 전원일치로 결정했다. 유엔위원단은 점령군사령관 하지와 협의하여 남한지역에서의 선거를 48년 5월 9일(뒤에 5월 10일로 변경)에 실시하기로 결정했다.

제8장

제주도 4·3폭동

유엔 결의 반대투쟁에서 발단된 제주도 4·3

1947년 11월 유엔총회가 한반도 전역에서 유엔 감시 하에 자유총선을 실시하여 남북한 통일정부를 구성하라는 결의를 채택하자, 소련과 남북한의 공산세력은 유엔 결의의 이행을 저지하기 위한 투쟁을 전개했다. 소련은 북한을 공산화해놓고 북한을 기지로 삼아 남한을 공산화하는 공작을 진행해왔는데 유엔 결의가 이행되면 남한의 공산화가 불가능해지는 것은 물론이고 나아가서는 이미 이룩해놓은 북한의 공산화마저 수포로 될 우려가 있었기 때문이다.

소련은 유엔 결의를 무효화하고 한반도를 분할 점령하고 있는 미국과 소련의 군대를 조속히 철수한 후 한국인들끼리 자주적으로 한반도 통일정부 수립문제를 해결하도록 하자고 제안했다. 북한지역에서는 1946년 2월부터 단독정부가 구성되어 있고 북조선노동당(공산당)의 일당독재가 안정되게 실행되고 있었는데 반해 남한지역에서는 독자적인 정부도 구성되지 않고 정치세력이 좌·우·중도로 3분되어서 격렬한 투쟁을 전개하여 정치혼란이 심각한 당시의 한반도 상황에서는 소련의 제안대로 하게 되면 한반도는 조만간 공산화통일이 이루어질 가능성이 매우 높았다.

유엔총회의 한국 결의가 채택되자 소련은 남북한의 노동당에게 유엔 결의를 거부하고 소련이 제시한 방안을 지지하는 군중집회 투쟁을 전국적으로 전개하라고 지시했다. 소련의 그러한 지시에 따라 남북한의 공산세력은 좌익 통일전선단체인 민주주의민족전선을 앞세워 남북한 각지에서 유엔 결의 거부와 소련 제안 수용을 주장하는 군중집회와 시위를 전개했다. 좌익의 군중투쟁은 남한지역에서는 그다지 위력을 발휘하지 못했다. 유엔 결의가 합리적이었고 그것을 지지하는 국민이 다수였기 때문이다.

유엔은 소련과 남북한 공산세력의 반발을 무시하고 유엔 결의를 이행하기 위해 1948년 1월 초 유엔한국임시위원단을 서울로 파견했다. 서울에 온 유엔위원단이 유엔 결의 이행을 위한 준비활동을 전개하자, 소련은 유엔위원단의 활동을 저지하기 위해 대규모 파업·폭동·무장테러를 전개하라고 남로당에 지시했다. 소련의 지시에 따라 남로당은 2월 7일부터 남로당과 민전의 영향권에 있는 노동자들과 학생들의 선도 하에 전국 각지에서 유엔 결의 거부, 유엔위원단 추방, 남한지역 단독선거 반대 등을 주장하며 파업·맹휴·집회·시위 등을 전개했다. 뿐만 아니라, 무장한 좌익 인민유격대들은 경찰관서 습격, 전신·전화선 절단, 철도 시설 파괴 등을 자행했다.

좌익세력은 그 투쟁을 '2·7구국투쟁'으로 작명했다. 유엔 결의가 이행되면 한반도가 미국의 식민지로 된다고 억지 주장을 펴면서, 그러한 미국의 식민지화로부터 국가를 구제한다는 뜻에서 '구국투쟁'이라 작명한 것이다. 그 투쟁의 개시일을 2월 7일로 잡은 것은 소련과 남북한 좌익이 유엔 결의를 격렬하게 반대하는 상황에서 유엔 결의를 어떻게 이행할 것인지를 결정해달라고 유엔위원단이 유엔소총회에 요청하는 날이 바로 그날이었기 때문이다.

좌익세력의 2·7투쟁은 별 효과를 보지 못했다. 유엔소총회는 소련과 남한 좌익세력의 반대투쟁을 무시하고, 2월 26일 유엔 결의를 이행 가능한 지역에서만 이행하라고 결의하였다. 유엔소총회의 결의는 자유선거가 가능한 남한지역에서 유엔 감시 하에 선거를 실시하여 한국인의 독립정부를 구성하라는 것이었다.

유엔소총회가 이러한 결정을 내리자 남로당과 민전은 유엔소총회의 결의를 '남조선을 식민지화, 군사기지화 하려는 미제의 노골적인 단독정부 수립계획'이라고 비난하면서 단독정부 수립을 위한 단독선거를 물리적인 힘으로 저지·파탄내기 위해 무장투쟁의 비중을 확대하는 등 투쟁 강도를 더욱 높였다.

제주도 4·3폭동은 1947년 11월부터 전국적으로 전개된 남로당과 기타 좌익분자들의 유엔 결의 거부 및 남한 선거 저지를 위한 투쟁의 일환으로 진행된 것이다.

남로당 제주도당은 1947년 11월부터 시작된 유엔결의 반대투쟁에 참여했으나 강도 높은 투쟁은 전개하지 못했다. 전단지 살포, 소규모 시위, 경찰지서 습격 등에 그쳤다. 그 이유는 경찰과 우익 청년단체의 남로당에 대한 조직파괴 공세로 인해 많은 수의 남로당원들이 구속되어 남로당 제주도당의 투쟁역량이 약화되었기 때문이었다.

관용을 폭동으로 대응한 좌익세력

강도 높은 무장폭동을 전개하라는 남로당 지도부의 지령을 수행할
수 없을 정도로 약화되었던 제주도당의 투쟁역량을 회복시킨 것은 아
이러니컬하게도 미군정 당국이었다. 미군정은 유엔 결의에 따른 남한
지역의 선거를 보다 자유로운 분위기 속에 실시하기 위해 1948년 3월
정치범들에 대한 대규모 사면을 단행했다. 그로 인해 경찰서와 형무소
에 구금되어있던 남로당 제주도당의 당원들이 거의 모두 석방되어 당
조직으로 복귀했으며, 제주도당의 투쟁역량이 급격히 회복되었다.

　　투쟁역량이 회복된 남로당 제주도당은 비밀리에 인민유격대와 자위
대를 조직하고 그들을 총기와 수류탄 및 죽창 등으로 무장시켰다. 선
거를 보다 자유로운 분위기 속에 실시하기 위해 공산분자들에게 관용
을 베푼 미군정의 선의를 좌익세력은 선거를 저지·파탄 내는 무장투
쟁의 준비에 악용한 것이다.

　　무장폭동의 준비를 마친 남로당 제주도당은 4월 3일 새벽 2시를 기
해 폭동을 일으켰다. 폭동에 가담한 4백여 명의 남로당 유격대는 제
주도내 24개 경찰지서 가운데 12개 지서를 습격하여 지서에 보관중인
무기를 탈취하고, 경찰관과 우익인사들 및 그들의 가족을 살해했다.
아울러 전신주와 전선을 절단하여 통신을 두절시키고 도로를 파괴하
여 습격당한 지서를 지원하기 위한 경찰병력의 이동을 방해했다. 새벽
2시부터 시작한 무장폭도들의 경찰과 우익인사들에 대한 광기어린 학
살극은 날이 밝을 때까지 계속되었다. 날이 밝자 인민해방군을 자칭
하는 무장폭도들은 한라산의 숲속으로 사라졌다. 무장폭도들은 한라
산 숲속으로 사라지면서 전단지를 뿌렸다. 전단지에는 「시민 동포들에
게 드리는 글」이 적혀있었다. 그 글은 아래와 같다.

"시민 동포들이여! 경애하는 부모 형제들이여! 4.3 오늘은 당신님의 아들 딸 동생이 무기를 들고 일어섰습니다. 매국 단선단정을 결사적으로 반대하고 조국의 통일독립과 완전한 민족해방을 위하여! 당신들의 고난과 불행을 강요하는 미제 식인종과 주구들의 학살만행을 제거하기 위하여! 오늘 당신님들의 뼈에 사무친 원한을 풀기 위하여! 우리들은 무기를 들고 궐기하였습니다. 당신님들은 종국의 승리를 위하여 싸우는 우리들을 보위하고 우리와 함께 조국과 인민의 부르는 길에 궐기하여야 하겠습니다."

이 호소문은 제주 4·3폭동의 성격을 잘 말해준다. 4·3폭동은 경찰의 탄압에 대항하는 '인민항쟁'이 아니라 유엔 결의에 따른 남한지역의 선거와 정부수립을 저지하기 위한 무장폭동이었던 것이다.

한라산 숲속으로 들어간 유격대는 밤이 되면 촌락으로 진출하여 경찰지서 습격, 경찰관과 우익인사들에 대한 테러와 살해, 유격대에 대한 협조를 거부하는 양민들의 납치·살해, 전선 단절, 도로 파괴 등 분탕질을 자행하고, 날이 밝으면 한라산 숲속으로 들어갔다. 당시 경찰은 병력과 장비가 부족하여 좌익유격대의 폭동을 효율적으로 진압하지 못했다. 그로 인해 제주읍을 제외한 제주도 전역이 밤에는 좌익유격대의 세상이 되고, 낮에는 미군정과 경찰의 세상이 되었다. 경찰의 손길이 미치지 못하는 한라산 중산간 지역의 촌락들은 밤과 낮 모두 좌익유격대의 세상이 되었다.

폭동이 장기화 되자 미군정은 폭동의 신속한 진압을 위해 경찰병력과 우익 청년단원들을 제주도에 증파하고, 국방경비대를 폭동 진압에 참여시켰다. 이 같은 노력에도 불구하고 좌익유격대의 폭동은 쉽게 진압되지 않았다. 그 주된 이유는 국방경비대가 폭동 진압에 소극적인 태도를 취한데 있다.

당시 국방경비대는 대부분이 주둔 지역의 청년들을 모집하여 구성된 향토부대였고, 좌익분자들이 많이 침투해있었다. 제주도에 주둔하는 국방경비대 제9연대도 제주도 청년들로 구성된 향토부대였고 좌익분자들이 많이 침투해 있었다. 좌익유격대 토벌을 강화하기 위해 부산 주둔 제5연대에서 제주도로 파견된 1개 대대 병력도 오일균 소령이라는 공산주의자가 지휘하는 병력이었다.

이들 제주도 주둔 국방경비대 장병들은 부대에 침투한 좌익 장병들의 영향을 받아 4·3폭동과 관련하여 유격대보다 경찰에 대해 비판적인 태도를 취했다. 그들은 4·3폭동은 경찰과 좌익유격대 간의 충돌이므로 경비대는 중립을 지켜야 한다는 의견을 가지고 있었다. 그래서 상부로부터 유격대 토벌을 위해 출동하라는 명령을 받으면 마지못해 출동하고, 유격대와 전투하기보다는 평화협상에 주력했다. 뿐만 아니라, 경비대 내의 좌익분자들은 유격대 간부들과 내통하면서 경비대의 유격대 토벌작전 정보를 유격대에 미리 알려 주기도 하고, 집단 탈영하여 유격대로 넘어가고, 반공성향이 강한 지휘관이 경비대의 유격대 토벌을 강력하게 독촉하면 그 지휘관을 암살하기까지 했다.

파탄난 제주도의 5·10선거

미군정은 5·10선거 이전에 유격대를 완전 진압하여 제주도의 선거를 제대로 실행하려 했으나 그에 실패했다. 유격대는 촌락에 거주하는 남로당원들과 협력하여 선거사무소와 투표소를 습격하고, 우익인사들과 선거업무 종사자들에 테러를 가했으며, 주민들을 회유하거나 협박하여 투표일 직전에 거주지를 떠나 산속으로 들어가서 투표에 참여하지 못하도록 했다. 그 결과 제주도의 3개 선거구 중 2개 선거구(북제주 갑구와 을구)의 투표율이 43%와 47% 밖에 되지 않아 선거가 무효 처리되었다. 5·10선거를 파탄내려는 공산세력의 투쟁이 제주도 2개 선거구에서 승리한 것이다.

5·10선거에서 제주도 내 2개 선거구의 선거를 파탄 내는데 성공한 남로당 제주도당은 북한 공산정권(북조선인민위원회)이 추진하는 가짜 남북한 통일정부 구성(조선민주주의인민공화국의 수립) 공작에 참여하고 유격대의 병력과 무기를 증강하는데 주력하면서 경찰과 군에 대한 공격 강도를 잠시 약화시켰다. 미군정도 유격대에 대한 토벌 강도를 약화시키면서, 유격대 토벌에 투입할 경찰과 국방경비대의 병력을 제주도에 증파하고 제주도 출신 경비대원들을 다른 지역으로 보냈다. 양측이 모두 결전에 대비하여 전열을 정비했던 것이다.

북한 공산정권이 추진하는 가짜 통일정부 구성 공작에 남로당이 참여하는 것이란 조선민주주의인민공화국 수립에 참여할 남한지역 대의원들을 선출하는 선거를 진행하는 작업이었다. 그런 선거를 공개적으로 진행하면 경찰에 체포되기 때문에 남로당은 자기 당원들끼리 비밀리에 연판장을 받는 방법으로 진행했다. 그것을 지하선거라고도 말했다. 지하선거로 선출된 남한지역 인민대표들은 8월 하순에 북한의 해주에 모여서 가짜 통일정부의 입법부에 해당하는 최고인민회의를 구성할 남한지역 대의원을 선출했다. 남로당 제주도당은 4·3폭동의 주역인 인민유격대 사령관 김달삼 등을 선정하여 해주로 파견했으며,

그중에서 김달삼을 비롯한 6명이 대의원으로 선정되어 가짜 통일정부 구성에 참여했다. 김달삼은 제주도로 귀환하지 않고 경북 지역에서 대한민국에 대항하는 무장유격대 활동을 전개하다가 6·25전쟁 기간 중에 전사했다.

제주도의 남로당과 유격대는 1948년 9월 9일 북한에서 조선민주주의인민공화국(인공)이 수립되고 난 후 다시 공격을 강화했다. 그들은 경찰지서 습격, 경찰관 및 우익인사의 납치·살해 등을 자행했다. 또한 중요 건물들에 북한의 인공기를 게양하고, 인공지지 벽보를 붙이고 말단 행정요원인 면장과 구장(오늘날의 이장)들을 협박·회유하여 사직하도록 했다. 10월 하순에는 2·7투쟁 때 조직했던 구국투쟁위원회를 혁명투쟁위원회로 개편했다. 그와 동시에 제2대 유격대 사령관 이덕구는 대한민국에 대한 선전포고를 발표했다.

남로당과 유격대가 이처럼 공세를 강화하자 8월 15일에 건국된 대한민국 정부는 제주도 좌익의 반란을 조속히 진압하지 않으면 대한민국의 존속에 심대한 악영향을 미치게 될 것으로 판단, 제주도에 보다 많은 병력을 투입하여 보다 신속하게 반란을 진압하기로 했다. 경찰병력을 증파한 것과 동시에 여수 주둔 경비대 제14연대의 1개 대대 병력을 제주도로 파견하기로 했다. 국방경비대 제14연대의 파견은 제14연대에 침투해있던 좌익 장병들이 제주도 파견을 반대하면서 반란을 일으키는 바람에 좌절되었다.

9월 중순부터 강화된 좌익유격대의 공세에 대한 경찰과 국방경비대의 대응은 큰 성과를 거두지 못했다. 경찰과 경비대 간의 협조 부족, 경비대에 위장 침투해 있는 남로당원들의 활동, 유격대원들에 대한 중산간 마을 주민들의 협조 때문이었다. 대한민국 정부는 좌익유격대 토벌을 효과적으로 전개하기 위한 대책을 강구했다. 그 대표적인 조치가 제주도에 대한 계엄령 선포, 유격대와 중산간 마을 주민들 간의 격리, 군과 경찰에 침투한 남로당 프락치 적발·제거였다.

계엄령 선포와 주민 강제소개

대한민국 정부는 11월 17일 제주도에 계엄령을 선포했다. 정부의 계엄령 선포문은 "제주도 반란을 급히 진압하기 위하여 계엄령을 선포하며, 육군 제9연대장을 계엄사령관으로 한다"고 밝혔다. 계엄사령관에 임명된 제9연대장 송요찬 중령은 11월 23일 계엄령을 실행하기 위한 포고문을 발표했다. 포고문은 반란 진압을 위해 제주도 일대에서 △ 교통 제한, △ 우편 통신 신문 잡지의 검열, △ 부락민 소개(분산) 등을 실시하겠다고 선언했다.

이 포고로 인해 유격대를 소탕하는 군과 경찰은 유격대가 주로 활동하는 한라산 중산간 지대에서 선량한 마을 거주민과 유격대를 분리할 수 있었다. 게릴라전을 전개하는 유격대와 마을 주민들 간의 관계는 물고기와 물의 관계와 같은 것이다. 유격대와 마을 주민들이 분리되지 않으면 유격대의 회유나 협박에 넘어가 유격대에 협조하는 주민들이 생기게 되고, 유격대와 토벌대가 교전할 때 토벌대는 유격대원과 주민을 구별할 수 없어서 전투를 효율적으로 전개할 수 없었다. 주민들이 유격대 지역으로 오고 가는 것을 제한하고 중산간 마을들에서 소개시키게 되면 유격대와 마을 주민들이 분리될 수밖에 없다.

계엄사령관의 포고 발표와 동시에 한라산 중산간지대 마을 주민들에게 3~4일 내로 해안지대 마을로 소개(분산)하라는 주민 소개령이 전달되었다. 주민들 가운데 정부에 순응하는 사람들은 마을을 떠났지만 반정부적인 사람들은 소개령에 응하지 않았다. 소개령에 응하지 않은 주민들은 토벌대 모르게 산으로 올라가 유격대의 통제를 받거나 마을을 떠나지 않겠다고 버텼다. 마을을 떠나지 않은 주민들은 토벌대가 강제로 끌어냈다. 주민 소개가 끝나면 토벌대가 마을의 집들을 모두 소각해버렸다. 이런 작전을 통상 초토화작전이라고 말한다.

제주도 4·3폭동 → 반란 기간 중 제주도내 400여 개 마을 중 250여 개 마을이 불에 타 잿더미로 되었고, 불에 탄 가옥수가 무려 12,000여 호에 달한 것으로 알려졌는데, 그 중 대부분이 토벌군의 초토화작전으로 인한 것으로 추정된다.

한라산 중산간지대에서 실시된 초토화작전은 유격대에 대한 효율적인 토벌을 위해 불가피한 측면이 있었으나 그 성과는 별로 크지 않았다. 주민 소개작업이 세련되게 전개되지 못한 바람에 토벌대의 소개작업에 대한 주민들의 원성이 높아졌고 마을을 떠난 주민들의 상당수가 유격대에 합류했기 때문이었다. 국가의식이 공고하지 못했던 당시의 제주도 중산간지대 거주민들의 입장에서 보면, 살던 집에서 그대로 살도록 하는 유격대가 살던 집에서 강제로 좇아내고 정든 집을 불태워 버리는 토벌대보다 좋은 사람들로 생각되었을 것이기 때문이다.

초토화작전의 부작용을 파악한 토벌군 지휘부는 유격대와 마을 주민들을 분리하기 위해 다른 대책을 강구했다. 유격대의 위협을 못 이겨서 유격대에 협조한 주민들을 유격대로부터 이탈시키는 선무작전을 적극적으로 전개하고 유격대와 주민들을 분리하기 위해 주민들을 소개시키는 대신 마을 주위에 돌담을 쌓는 작업이다. 위협을 못 이겨 유격대에 협조한 주민들이 자수하여 유격대에 협조한 내용을 고백하면 처벌하지 않기로 하는 선무공작의 결과 유격대에 합류하는 주민들의 숫자가 감소했다. 돌담도 유격대의 마을 진입을 어렵게 하여 유격대와 마을 주민을 분리하는데 기여했다.

유격대와 중산간 마을 주민 간의 분리작전이 효과를 나타내서 1948년 12월 들어 유격대의 공세가 약화되었다. 정부는 12월 말 제주도 반란이 어느 정도 진압되었다고 판단하고, 반란 작전을 맡아온 제주 주둔 국군 제9연대를 대전으로 이동하고 대전 주둔 제2연대를 제주도에 투입했다. 그리고 12월 31일부로 제주도에 선포된 계엄령을 해제했다.

유격대는 마치 계엄령 해제를 기다렸다는 듯이 계엄령이 해제된 바로 다음날인 1949년 1월 1일 밤부터 토벌대에 대한 대규모 공격을 재개했다. 유격대의 토벌군에 대한 적극적 공세는 2월 초까지 계속되었다. 유격대는 토벌대의 반격을 받아 많은 사상자와 포로 등 병력 손실을 입으면서도 공세를 계속했다. 제주도 출신 장병들로 구성된 제9연대와 달리 외지 출신 장병들로 구성된 제2연대가 제주도 지리에 익숙해지기 전에 타격을 가하려는 듯했다.

토벌군의 신전술과 유격대의 소멸

육군 지휘부는 토벌대의 전투력 강화를 위해 3월 초 제주도지구 전투사령부를 설치하고 사령관에 유재흥 대령을 임명했다. 유재흥 사령관은 새로운 전술을 구사했다. 새로운 전술이란 해안지역에 배치된 국군병력을 한라산 중턱으로 전진 배치하여 유격대를 군사적으로 압박하면서, 그와 동시에 유격대 지역으로 피난해간 민간 주민들의 귀순을 유도하는 심리전을 병행하는 것이다. 유격대 지역에 피난 가있는 민간 주민들은 앞서 실시된 중산간 마을 소개 작전 시 해안지대로 가지 않고 산속으로 올라간 주민들이었다. 이들은 유격대와 남로당에 우호적이긴 하지만 유격대원은 아니었다. 그러면서도 이들은 유격대원으로 충원될 수 있는 예비 병력이었다. 유격대를 효율적으로 소탕하려면 이들 민간 주민들을 전향 귀순시키는 것이 필요했던 것이다.

군사적 압박과 민간인 귀순 유도공작의 병행은 머지않아 시너지 효과를 나타냈다. 토벌대가 가까운 곳에 와있다는 사실은 산속에서 고생하는 민간 주민들의 귀순 욕구를 자극했고, 귀순자들은 유격대 활동에 대한 정보를 토벌대에 제공함으로써 토벌대가 유격대에 대한 군사적 압박을 효율적으로 전개할 수 있도록 했다.

1949년 3월 말부터 전황은 토벌군의 우위로 기울어졌다. 토벌군의 공격으로 유격대 사령관 이덕구가 이끄는 주력부대가 토벌군으로부터 치명적 타격을 받았고, 남로당 제주도당 지휘부도 토벌군에 일망타진되었다. 공격역량이 약해진 유격대는 1948년 5월 10일 선거 당시 유격대의 방해로 인해 투표를 제대로 실시하지 못했던 북제주 2개 선거구의 선거를 1949년 5월 10일에 실시하는 것을 방해하지 못했다.

유격대의 무장활동은 1949년 6월 7일 경찰 특공대와 유격대 간의 전투에서 제2대 유격대사령관 이덕구가 전사함으로써 사실상 종료되었다. 그 후 70~100명으로 추산되는 잔존 유격대원들은 공격적 활동을 중단하고 토벌군의 공격을 피해 다니는데 주력했다.

생존을 위해 도망과 은신에 주력하던 잔존 유격대원들은 6·25전쟁이 발발하자 북한군이 제주도까지 진격할 것이라는 희망을 가지고 경찰지서와 민간 마을을 습격하는 공격활동을 재개했다. 잔존 유격대원들의 토벌 작전을 맡은 경찰은 1952년 4월부터 한라산 중턱 주위에 주둔소 32개소를 설치하고 민간인들이 주둔소 위쪽으로 올라가는 것을 금지하는 금족령을 내렸다. 잔존 유격대원들을 한라산 정상부에 고립시키기 위해서였다.

경찰은 1952년 12월 하순부터 한라산 정상부에 고립된 잔존 유격대원 소탕작전을 개시했다. 1년 간 진행된 소탕작전으로 1953년 11월 현재 잔존 유격대원 수는 11명으로 줄어들었다. 경찰의 소규모 수색·소탕 작전은 계속되어 1954년 2월 잔존 유격대원 수는 5명이 되었다. 이들 5명은 은신을 깊이 하여 경찰에 발각되지 않다가 1956년 4월부터 경찰에 발각되어 사살되거나 생포되었으며, 마지막 남은 1명의 유격대원은 1957년 4월 토굴에 은신하고 있다가 경찰에 체포되었다. 이렇게 해서 대한민국의 건국을 저지하고, 건국된 대한민국을 허물기 위해 제주도 공산세력이 전개했던 4·3폭동 → 반란은 완전히 막을 내렸다.

제9장

1948년 평양 남북협상의 진상

남북협상이 제안된 시점의 한반도정세

1948년 4월 평양에서 진행된 남북협상은 우리 민족의 현대 정치사에 있어서 매우 중요한 사건임에도 불구하고, 그에 관한 정확한 실상이 잘 알려지지 않았다. 그 남북협상은 김구가 먼저 제안한 것이고, 김구는 민족의 분단을 방지하려는 숭고한 정신에서 남북협상을 제의했고, 남북협상은 분단 방지를 위한 대책의 강구에 성과를 거두었으나 이승만이 남한총선을 강행하는 바람에 그런 대책이 실현되지 못하여 민족이 분단되었다는 정도의 실제로 있었던 일들과는 거리가 먼 해설만 널리 퍼져있다.

이러한 해설은 모두 잘못된 것이다. 우선 남북협상을 김구가 먼저 제안했다는 것부터가 잘못된 해설이다. 남북협상은 북한의 김일성이 먼저 제안했다. 김일성은 한국문제의 유엔총회 상정을 반대하기 위해 소련이 제시한 남북한 주둔 미·소군을 조기 철수하고 한국문제 해결을 한국인들에게 맡기자는 방안을 지원하기 위해 남북협상론을 제안한 것이다.

이 책의 제4장에서 기술한 바와 같이, 한반도 독립문제를 해결하기 위한 미소공동위원회의 협상은 1947년 8월 교착상태에 빠졌다. 미소 공위가 교착상태에 빠지자 미국은 8월 하순 미소공위에서 한반도문제를 해결하는 것이 불가능하므로 한반도 공동 신탁통치국으로 내정된 미·소·영·중 4개국 외상회의를 개최하여 한국문제를 협의할 것을 제의했다. 그에 대해 소련은 그런 조치는 모스크바협정에 위배되는 것이라고 주장하며 반대했다. 그러자 미국은 9월 중순 한반도문제를 4개국 외상회의로 넘기는 것도 불가능하다면 한반도문제의 해결을 유엔에 넘길 수밖에 없다고 소련에 통고하고, 한국문제를 유엔총회 의제로 채택해줄 것을 유엔에 요청했다. 유엔총회는 9월 23일 표결을 통해 한국문제를 의제로 채택했다.

한국문제가 유엔총회의 의제로 채택되자, 소련은 9월 26일 미소공동위원회에서 한국문제를 유엔총회에서 결정하지 말고 1948년 초까지 남북한에서 미·소군을 철수한 다음 '한국인들에게 자기들 스스로가 정부를 수립하는 기회를 제공하자'고 제안했다. 미국은 이러한 소련의 미·소군 조기철수 제의가 실천되면 한반도가 공산화 통일될 우려가 있다고 판단하여 그것을 받아들이지 않고 유엔총회에서의 한국문제 토의를 밀어붙였다.

당시 북한에서는 인민민주주의체제가 공고화되어가고, 남한에서는 정치적 혼란이 심각했다. 북한에서는 '북조선 민주기지론'에 입각하여 46년 2월 북조선임시인민위원회라는 단독 임시정부가 수립되고 그 임시인민위가 중심이 되어 북한을 사회주의사회로 만들기 위한 '민주개혁'이 진행되었다. 북한의 민주개혁은 급속하게 진행되었으며, 그것이 어느 정도 성공하자 북한에서는 임시정부를 정식정부로 격상시키기 위한 조치가 진행되었다. 소련과 북한정권은 46년 11월 도·시·군 인민위원회 위원선거를 실시하고, 그 이듬해 2월에는 도·시·군 인민위원회 대회를 개최했다. 그리고 그 도·시·군 인민위원회 대회를 토대로 자유민주주의 국가의 국회에 해당하는 북조선인민회의를 구성하고, 그 인민회의를 토대로 북조선인민위원회라는 단독 정식정부를 수립했다. 단독 정식정부를 수립한 것과 동시에 북한정권은 계획경제 실시를 개시했다. 이로써 남한과 북한은 어느 한쪽에서 체제변혁을 위한 격렬한 유혈혁명이 성공하지 않는 한 동질적인 사회로 통합될 수 없는 매우 이질적인 사회가 되었다. 민족분단이 현실화된 것이다.

북한정권은 1947년 5월에는 '인민집단군'이라는 정규군을 만들어 강력한 군사력을 확보한데 이어 8월부터는 김일성을 수반으로 하는 남북한통일인민정권을 수립하자는 캠페인을 전개했다. 민주기지론에 입각하여, 북한의 '민주화'(곧 사회주의화)가 일정 수준 공고해지자 이제 북한을 기지로 하여 남한을 '민주화'하는 사업을 본격적으로 추진하기 시작한 것이다.

이처럼 북한사회가 남한사회와는 구조와 운영이 상이한 이질적 사회로 변혁되고, 소련과 북한 공산세력이 사회주의화된 북한을 기지로 하여 남한의 사회주의화를 추진하기 시작한 그 시기에 남한의 정치정세는 분열과 혼란의 양상을 나타내고 있었다. 당시 남한을 통치하던 미군정은 실정으로 인해 남한민중으로부터 권위를 인정받지 못하고 있었다. 그리고 남한의 정치세력은 극심한 분열 상태에 있었다. 좌익세력은 통합되어 있었으나 중도세력은 공산주의자들에 의해 침투 당한 중도좌파와 순수 중도파로 분열되어있었으며, 우익진영은 정부수립 방법을 둘러싸고 이승만-한민당세력과 김구세력이 갈등하고 있었다.

김일성의 남북협상 제의는 이러한 정세를 배경으로 한 것이다. 남북 협상이 진행된다면, 유엔총회에서 한국문제를 토의하지 않게 될 수도 있으며, 유엔총회가 한국문제에 대한 결의를 하더라도 그것을 실천할 수 없게 될 수도 있고, 남한 정부의 수립이 지연되면서 남한의 정치적 분열과 혼란이 지속되어 북한정권이 추구하는 '전국적 민주화' 곧, 한반도 전체의 공산화가 이루어질 수도 있었다.

김일성의 남북협상 제안과 남한 중도좌경정당들의 맞장구

소련이 한국문제의 유엔총회 심의를 반대하면서 미·소군의 조기철수를 제의한 직후인 1947년 10월 3일 김일성은 북조선 민주주의민족전선 중앙위원회 의장단회의에서 "조선에서 쏘미 량군을 동시에 철거시키고 미제국주의자들과 그 앞잡이들의 민족분열책동을 파탄시키며 통일적인 민주주의중앙정부를 세워야 합니다. 그러기 위하여 남북조선 정당, 사회단체 대표들이 한자리에 모여앉아 나라에 조성된 정치정세를 토의하고 구국대책을 세우자는 것입니다."라고 말했다. 이러한 김일성의 발언은 남북 정당 사회단체 대표 연석회의를 소집하자는 제안이다.

김일성이 남북협상을 제안한 것과 비슷한 시기인 47년 10월초부터 남한의 중도좌경 군소정당들도 남북협상을 제안했다. 근민당 신진당 인민공화당 등 남한의 중도좌경 군소정당들은 북조선 노동당 및 남조선 노동당의 프락션이 좌우하는 괴뢰정당들이었다. 그들의 남북협상 제안은 김일성의 제안에 대한 맞장구였다.

남북한의 공산당(즉 북조선노동당과 남조선노동당)은 '남북 정당 사회단체 연석회의'를 제안 해놓고 남한 정계의 주요 인사들을 남북협상 틀에 끌어들이기 위한 유인공작을 적극적으로 전개했다. 그런 포섭공작을 전개하기 위해 북한정권이 남파한 거물급 공작원으로 유명한 사람이 성시백이다. 성시백의 활동과 관련하여 북한 〈로동신문〉 1997년 6월 26일자는 다음과 같이 보도했다.

"남조선에서 … 중간세력을 쟁취하는 문제는 통일혁명을 승리적으로 전진시켜 나가는데서 매우 중요한 문제로 제기되였다. … 성시백 동지는 이에 대처하여 중간 정당, 단체들을 반미자주통일을 위한 통일전선대오에 결속시키기 위한 사업에 모를 박았다. 그는 당시 남조선 중간 정당, 단체들 가운데서 제일 영향력이 강한 근로인민당을 비롯한 5개 정당을 포섭하기 위한 … 통일전선공작을 벌려 처음에는 5개 정당을, 다음에는 10개 정당과 그 산하 14개 단체를 그리고 그 후에는 중간 및 우익 정당, 단체들까지 통일전선에 망라시켜 13정당협의회까지 결성하게 되였던 것이다."

남북관계 연구자인 유영구도 『월간 중앙』 1992년 6월호에서 성시백의 공작활동과 관련하여 북한에서 남한으로 귀순한 조선노동당 간부 박병엽의 다음과 같은 증언을 소개하고 있다.

"성시백은 김구·김규식 등의 우익지도자들의 측근과 연계되어 있었다. 이를테면 김규식의 비서실에서 중요한 인물이었던 권태양과 S모는 … 성시백선이었다. 성시백 밑에 있던 서완석 밑에 S모가 연결됐고, 성시백 밑에 있던 강병찬 밑에 권태양이 연결됐다. … 김구 쪽에서는 그의 맏며느리 안미생의 사촌동생인 안우생이 북쪽과 연결되어 있었다. … 임정계열인사 엄항섭도 성시백과 비밀리에 자주 만나는 사이였다. … 김규식 밑에서 민족자주연맹 간부로 일하던 박건웅이나 임정계통의 김찬 등도 성시백선의 핵심인물이었다. … 조소앙의 비서 김흥권도 강병찬과 연결되어 있었다. 또 이범석 장군 밑에서 일하던 정국은도 성시백선이었다. … 이처럼 성시백은 남한 내 주요지도자의 상당수 측근을 거머쥐고 남한정국에서 북로당의 뜻을 관철하는 활동을 전개했다.”

중앙일보사가 발행한『비록 조선민주주의인민공화국』에 소개된 박병엽의 증언에 따르면, 북로당은 서울에서 공작원들을 통해 남한 정치인들에 대한 유인공작을 전개하는 것과 더불어 이미 포섭해놓은 남한 정치인들을 북으로 불러들여 남북 연석회의 프로젝트 실천을 추진했다. 이 시기에 북으로 불려간 남한 중간파 정당 소속 정치인들은 홍명희, 백남운, 김원봉, 박건웅 등이었다. 북로당은 47년 11월과 12월에 중앙위원회 전원회의에서 남한 내 단선단정 반대세력을 규합하기 위한 조직적인 정치사업의 구체적인 방침을 수립했다. 그 사업은 두 갈래로 계획되었다. 하나는 공작원을 동원한 포섭공작이고, 다른 하나는 외형상 중도좌파 정당의 형태를 보이면서 내면적으로는 좌익의 프락션이 깊이 침투해있는 정당들, 즉 근민당, 민독당, 인민공화당, 민주한독당 등과 제휴·협력을 모색하는 것이었다. 그에 따라 북로당은 12월말부터 대남공작을 담당하는 대남연락부를 대대적으로 확대 개편하고 서울에서 공작활동을 전개 중인 성시백의 간첩망도 강화했다.

북한 자료와 박병엽의 증언에 따르면, 그러한 물밑 공작이 어느 정도 성공하자 김일성은 48년 1월 중순 남북연석회의의 소집을 제안하는 편지를 성시백 등 여러 사람들을 통해 남한의 김구·김규식과 정당·사회단체 등에 보냈다. 남북연석회의 혹은 남북협상에 대한 남측 인사들의 지지의사를 확인한 뒤, 북로당은 48년 2월 초순 남로당 지도부와 더불어 양측 정치국연석회의를 열고, 단선·단정을 반대하는 투쟁을 보다 광범한 거족적 투쟁으로 조직 전개하며, 인공 수립을 예견한 남북 제정당 및 사회단체 연석회의의 소집문제를 토의 결정했다. 회의는 또 남한에서 유엔위원단과 단선 반대투쟁 분위기가 고조되고 북한에서 북로당 제2차 전당대회가 끝나는 4월 중순에 개최하기로 결정했다.

남북협상 외면하던 김구, 돌연 남북협상 지지

북한정권과 남한 좌익 및 중도파 군소정당들이 남북협상 개최를 맞장구치면서 소련의 제안을 지지하고 남북한총선을 촉구하는 유엔결의를 반대하고 있는 동안 김구는 그에 정반대되는 입장을 견지했다.

김구는 소련이 제안한 미·소군 조기철수론에 반대하고 유엔총회의 한국문제 결의를 지지하는 입장을 취했으며, 나아가서는 이승만의 우익진영 통합노력에 협조하는 자세를 취하고 있었다. 뿐만 아니라 김구는 '미·소군 조기철수론 지지 = 유엔총회의 한국문제 결의 비판 = 남북협상'을 주장하는 한독당 중간파 간부들의 제명 등의 조치를 취하기도 했다. 그 바람에 한독당 내에서 남북협상론을 선도해온 중도파 지도자 조소앙이 정계은퇴를 선언하기도 했다. 이 시기의 김구의 입장을 가장 잘 드러낸 자료는 47년 12월 1일에 발표된 다음과 같은 김구의 성명이다.

"유엔이 한국문제를 정식으로 상정하여 토론한 결과 유엔 감시 하에서 신탁 없이 내정간섭 없는 남북을 통한 총선거로써 자주통일의 독립정부를 우리나라에 수립하도록 협력하고자 결정하였다. … 우리는 … 유엔결의안을 지지하는 바이다. … 만일 일보를 후퇴하여 불행히 소련의 방해로 인하여 북한의 선거만은 실시하지 못할지라도 추후 하시든지 그 방해가 제거되는 대로 북한이 참가할 수 있게 하는 것을 조건으로 하고 의연히 총선거의 방식으로 정부를 수립하여야 한다. 그것은 남한의 단독정부와 같이 보일 것이나 좀 더 명백히 규정하자면 그것도 법리상으로나 국제관계상으로 보아 통일정부일 것이요 단독정부는 아닐 것이다. 이 박사가 주장하는 정부는 상술한 제2의 경우에 치중할 뿐이지 결국에 내가 주장하는 정부와 같은 것인데 세인이 그것을 오해하고 단독정부라고 하는 것은 유감이다."

이승만의 정부수립노선에 대한 김구의 지지 입장을 명확하게 드러낸 성명이다. 김구가 이러한 입장을 취하고 있음에도 불구하고 북한정권과 남한의 좌익 및 중도파 정당들은 김구를 남북협상 프레임에 끌어들이기 위한 공작을 끈질기게 전개했다. 김구는 12월 22일 돌연 이승만이 추구하는 남한선거에 절대 반대한다는 성명을 발표하면서 우익진영으로부터 이탈했다.

김구가 그러한 행동을 취하게 된 데에는 한민당에 대한 김구의 분노가 폭발한 것이 큰 작용을 했다. 한민당은 1947년 12월 초에 발생한 한민당 중요간부 장덕수 암살사건의 배후조종자로 김구를 의심하면서 미군정당국에게 김구에 대한 수사를 촉구했으며, 12월 하순에 이듬해 1월에 방한할 유엔임시조선위원단을 상대할 민족대표단(우익진영의 대표단)의 명단을 작성함에 있어서 김구세력을 소외시켰다. 이 두 사건은 이전부터 한민당을 못마땅하게 생각해오던 김구로 하여금 한민당에 대한 분노를 폭발하게 만들었다.

우익진영에서 이탈한 김구에게는 그를 남북협상 프레임 속으로 끌어들이려는 북한정권과 남한 좌익 및 중도좌파의 견인력이 매우 강력하게 작용하게 되었다. 김구는 48년 1월 하순 남북협상을 지지한다는 입장을 천명했다. 김구가 남북협상을 반대하다가 남북협상 지지로 입장을 바꾸게 된 데에는 몇 가지 요인들이 작용했다.

첫째는 한민당에 대한 분노였다. 이에 관해서는 앞서 설명했다.

둘째는 북한정권의 강력한 유인공작이다. 북한정권은 앞서 말한 김구 유인공작에 더하여 중국에서부터 김구를 알고지내는 서영해를 특파하여 김구를 설득하도록 했다. 서영해는 김일성이 김구에 대해 호감을 갖고 있으며 통일 후 김구를 대통령으로 모시려 한다며 김구의 남북협상 지지를 설득했다. 김구를 상대로 한 북한정권의 집중 공략은 김구의 남북협상에 대한 태도를 긍정적인 방향으로 유도하는 작용을 했을 것이다.

셋째는 민족분단을 저지하고 민족구성원들의 생명을 보호하려는 김구의 민족애이다. 김구는 우익의 중심세력인 이승만-한민당과 결합해있을 때는 그들과 더불어 남한에 비공산정권을 수립하는 것이 민족을 위한 현실적인 길로 생각했지만, 이제 이승만–한민당과 결별한 조건에서 자기가 민족을 위해 할 수 있는 일은 그 결과가 어떻게 되든 민족분단을 저지하는 일을 해보는 것이라고 판단한 것으로 보인다. 더구나 김구는 북한의 군사력이 강하여 남한에 별도의 정권이 수립될 경우 그 존속 가능성이 희박한 것으로 판단하고 있었다. 이 두 가지 판단이 결합되면서 김구의 민족애가 남북협상으로 연결되었을 것으로 보인다.

김구와 김규식은 1948년 1월 하순 유엔위원단과의 면담을 계기로 자신들의 남북협상 지지 입장을 천명했다.

북한 측의 일방적인 회의일정 발표와 참석대상 선정

남북협상 반대에서 지지로 입장을 바꾼 양김은 한편으로는 남한 총선반대 투쟁을 전개하면서, 다른 한편으로는 비밀리에 북한의 김일성 및 김두봉과 접선하여 남북협상을 추진했다. 양김의 남한 총선반대투쟁은 주로 대중의 민족감정과 통일희구에 호소하는 감성적 선전활동을 중심으로 전개되었고, 양김의 북한과의 접촉은 이미 북로당에 포섭되어 있던 자기들의 측근 및 위장 중도파 인사들을 통해 진행되었다.

김구와 김규식은 1948년 2월 16일 '남북정치지도자간의 정치협상을 통하여 통일정부 수립과 새로운 민주정부 건설에 관한 방안을 토의하자'는 내용의 공동명의의 서신을 북한의 김일성과 김두봉에게 비밀리에 보냈다.

박병엽의 증언에 따르면, 북로당은 양김의 동향에 대한 정확한 정보 파악과 그에 대한 대응책을 논의하기 위해 2월 중순 홍명희를 평양으로 불러들였다. 그와 동시에 북로당 대남공작 책임자인 대남연락부장 임해를 서울로 파견하여 북로당에 이미 포섭된 남한의 중도파 지도자들과 김구·김규식의 측근들을 직접 만나서 남한 정세 및 김구 김규식의 동향에 대한 정보를 수집해갔다. 북로당은 홍명희 등 남한 정치인들의 보고와 임해로부터의 현장보고를 접수한 후 남한의 남북협상 지지세력과 김구·김규식세력이 연합하여 남북협상을 추진하는 남한 측 조직체를 구성할 것을 지시했다. 서울에 돌아 온 홍명희는 김구·김규식을 비롯하여 백남운, 조소앙, 여운홍, 유림 등과 접촉하면서 남북연석회의 개최에 필요한 남한 측 준비작업을 전개했다.

북한의 자료에 따르면, 김구와 김규식은 자기들이 밀서를 보낸데 대한 북측의 반응을 조속히 파악하고자 3월 8일 비밀리에 자기들의 연락원들을 김일성에 보냈다. 김구의 연락원(안우생)은 김구가 김일성에게 보내는 편지를 휴대하고 김일성을 면담했으며, 김일성은 남북협상에 대한 김구의 참뜻을 파악하고 김구와의 합작가능성을 확인했다. 양김의 연락원들이 북측으로부터의 긍정적인 반응을 확인하고 서울로 귀환한 후 양김과 홍명희는 남북협상 지지세력의 연합체 구성을 추진하면서 남북협상 추진에 박차를 가했다. 이러한 연합체 구성노력은 4월 3일 통일독립운동자협의회의 결성으로 이어졌다.

김일성과 김두봉은 3월 15일 비밀리에 김구와 김규식 및 '단선단정'에 반대하는 남한의 여타 정당·단체의 지도자들에게 서신을 보냈다. 편지의 내용은 '남북한 정당 사회단체 대표자 연석회의'를 개최하자는 것이었다. 김구와 김규식이 김일성과 김두봉에게 보낸 편지에서 제안한 것은 남북요인들의 회담, 즉 남의 양김과 북의 양김의 4김 회담인데 반해 김일성·김두봉이 보낸 편지는 많은 수의 남북한 정당 사회단체 대표자들이 참석하는 연석회의 개최를 제의했다.

박병엽의 증언에 따르면, 북로당은 김일성·김두봉의 공동명의로 된 편지를 남한 정치인들에게 보낸 데 이어, 중앙위원회를 개최하고 남북 연석회의의 남쪽 초청대상자, 명칭, 의제, 개최일자, 진행방법 등을 결정했다. 회의 명칭은 연석회의로 하고, 남북협상에 참여하는 남북의 정당 사회단체 전체가 참가하는 연석회의와 남북의 요인들이 참여하는 지도자협의회를 분리하여 개최할 것도 결정했다.

그러한 북로당의 결정에 따라, 북조선 민전 중앙위원회는 3월 25일 평양방송을 통해 4월 14일 평양에서 '전조선 정당 사회단체 대표자 연석회의'를 개최할 것을 제의한다고 발표했다. 평양방송을 통해 발표된 '남조선 단독정부 수립을 반대하는 남조선 정당 사회단체에게 고함'이란 제목의 북조선민주주의민족전선 성명은 다음과 같다.

"조선인민은 특히 남조선 반동의 반인민적 폭압 하에 살고 있는 여러분들은 남조선 단독선거는 흉악한 기만에 불과하다는 것을 잘 알고 있습니다. 조선인민은 이러한 기만적 방법으로서 수립될 불구적 괴뢰정권을 어떠한 조건으로서든지 결단코 승인하지 않을 것입니다. … 조선으로부터 외국군대가 동시에 즉시 철퇴한 후 조선인민 자신이 민족적 민주주의정부를 수립하는 문제를 자결하자는 소련정부의 제안을 미국정부로 하여금 실행하도록 투쟁합시다. … 우리는 남조선 단독선거를 반대 투쟁하는 남북조선의 모든 민주주의 정당 사회단체 대표자 연석회의를 금년 4월 14일 평양시에서 개최할 것을 제의합니다. 우리는 이 회의에서 … 우리 국토를 양단하고 민족을 분열하려는 반동파의 온갖 책동 기도를 파탄시키고 조국의 통일과 독립을 추진시키며 … 조선의 통일 민주주의 독립국가 건설을 추진시킬 것을 공동 목적으로 노력하는 데 구체적 계획을 채택할 것을 엄숙히 제의합니다.”

평양방송의 내용은 평양에서 개최되는 남북협상이 남북한의 대표적 정당과 사회단체들 간의 협상이 아니라, 북한의 정당·단체 대표들과 남한의 친북적(남한총선에 반대하는) 정당·단체들의 단합대회적 성격을 가진 회의라는 사실, 회의 목적이 소련의 미소군 조기철수론을 수용하고 유엔총회의 한국독립문제 결의 실천을 저지(곧 남한총선 저지)하는 것이었다는 사실을 명확하게 말해준다. 평양방송의 성명이 발표된 며칠 뒤 김일성과 김두봉은 평양방송의 성명과 동일한 내용이 담긴 초청서한을 김구·김규식을 비롯한 남한 내 남북협상파 정치인들에게 보냈다.

김일성의 모멸적 대우 감수한 양김

평양방송의 성명과 초청 서한을 통해 전달된 북한의 제의는 '제의'라기보다는 '통고'였다. 그 내용도 한 마디로 요약하면 '남한총선을 반대하는 남북조선의 정당 사회단체 대표들이 평양에 모여서 한반도문제에 관한 소련의 제안을 관철시키기 위한 투쟁계획을 마련하자'는 일방적인 것이었다. 김구와 김규식이 구상한 남북한의 중요한 지도자들의 모여서 백지상태에서 남북통일을 모색하는 협상을 해보자는 것과는 다른 것이었다. 김일성은 회의 참여자나 진행에 대해 김구 측과 아무런 사전 협의 없이 평양방송을 통해 일방적으로 남북협상회의 개최를 통고한 것이다. 김구·김규식은 북한 측의 제의를 수용하거나 거부하는 것 말고는 다른 대안이 없었다.

자존심이 망가진 것을 생각하면 양김은 평양방송의 보도를 무시해야 했다. 그러나 양김 주변에 깊숙이 침투해있는 북의 영향은 양김으로 하여금 북측의 제의를 거부할 수 없게 만들고 있었다. 양김은 3월 31일 그들의 평양회의 참가의사를 밝히는 다음과 같은 성명을 발표했다.

"제1차 회의를 평양에서 하자는 것이나 라디오 방송시에 남한에서 여하한 제의가 있었다는 것을 발표하지 아니한 것을 보면 제1차 회담도 미리 다 준비된 잔치에 참례만 하라는 것이 아닌가 하는 기소(杞所)가 없지 않다. 그러나 우리 두 사람은 남북회담을 요구한 이상 좌우간 가는 것이 옳다고 생각한다."

김구 김규식은 일단 평양 회의에 참석한다는 기본방침을 정한 뒤 회의일정과 진행방법을 조정하기 위해 자기들의 연락원들을 북으로 파견했다. 김구의 연락원 안경근와 김규식의 연락원 권태양은 4월 8일과 9일 평양에서 각각 김일성과 김두봉을 면담하여 김구·김규식이 회의에 참석하기 위해 필요한 조건으로 회의 개최일자를 연기할 것, 참가인원을 확대할 것, 금번 회담에서는 남북통일문제에 한해서만 협의할 것 등의 조건을 제시했다. 그에 대해 김일성은 "통일을 위해서 만나 이야기하는데 아무런 조건도 있을 수 없다. 두 분 선생께서 무조건 이곳으로 오셔서 우리와 상의하면 모든 문제는 해결될 것이다."라고 회답했다. 두 김의 요구사항을 또 무시한 것이다.

북한이 김구와 김규식을 거듭 무시했음에도 불구하고 양김은 평양행을 취소할 수 없었다. 북한과 남한의 좌익세력은 그들의 평양행 결심이 번복되는 사태를 막기 위해 영향공작을 전개했다. 이른바 '문화인 108인 성명'을 발표하여 남한의 지식인층이 남북협상을 적극 지지하고 있음을 과시하고, 유엔위원단의 좌경성향 위원인 잭슨(호주 대표)과 패터슨(캐나다 대표)은 김규식을 방문하여 평양회의에서 합리적 합의가 이뤄지면 5월 10일로 예정된 남한선거가 연기될 수 있을 것처럼 말했다.

북한정권은 남북 연석회의 개최 일정만 일방적으로 정한 것이 아니라, 회의에 관한 모든 것을 일방적으로 준비해왔다. 북한의 자료에 따르면, 연석회의에서 토의될 의제와 토론 내용, 연석회의에 제출될 문건들의 초안 등 회의 관련 모든 사항들을 북한이 김일성의 지도하에 일방적으로 결정·준비했다. 당시 북한을 통치하고 있던 소련군 지휘관들의 회고에 따르면, 남북협상의 모든 것을 소련군 정치장교들이 직접 지휘하여 준비했다.

이승만은 김구의 남북협상 참여를 못마땅하게 생각하면서도 김구의 평양행을 말리기 위해 진지하게 노력했다. 이승만은 기회가 있을 때마다 자신의 입장을 양보하면서까지 김구의 평양행을 만류했다. 이승만은 김구에게 '나는 당신의 남북협상에 대해 반대하지 않을 터이니 당신도 남북협상을 하고 남한총선에도 참여하라'고까지 제의했다. 김구는 이승만의 손길을 뿌리치고 평양으로 갔고 끝까지 남한총선 반대운동을 전개했다.

평양 남북협상에서 김일성의 안내를 받고 있는 김구 선생. 김구 선생은 남북협상회의에 참여하기 위해 1948년 4월 20일 평양에 도착했다. 사진은 김구 선생이 평양 체류기간 기간 중 회합에 참여하기 위해 김일성의 안내를 받아 회합 장소로 가고 있는 장면이다.

공산화통일을 간접 지지한 남북협상회의 문서들

평양 연석회의는 당초 계획보다 4일 늦어진 48년 4월 19일부터 개최되었다. 북한정권은 남한측 정치인들이 보다 많이 참석하도록 하기 위해 회의 개회일자를 연기했다. 4월 19일 오후 6시 평양의 모란봉극장에서 '남북조선 정당 사회단체 대표자 연석회의'가 개막되었다. 남북 연석회의에 참여한 남북한의 정당과 사회단체 총수는 도합 56개(남한 41개, 북한 15개)였다. 19일 개막된 회의는 중간에 3일간 휴회하면서 26일까지 계속되었다. 회의 진행은 소련과 북한정권이 사전에 준비한 절차에 따라 일사천리로 진행되었으며, 의안에 대한 자유로운 찬반토론

평양 남북협상회의장에서 나란히 앉아 있는 김구 선생과 김일성.

은 없었다.

19일부터 26일까지 진행된 평양의 남북연석회의에서는 「조선정치정세에 관한 결정서」, 「전조선동포에게 격함」, 「남조선단선단정반대투쟁대책에 관한 결정서」, 「소련과 미국에 보내는 요청서」 등 4개의 문서가 채택되었다. 그 문서들의 주요내용을 차례로 살펴보면 다음과 같다. 「조선정치정세에 관한 결정서」의 내용 중 중요한 부분은 다음과 같다.

"조선인민의 절대 다수가 소위 「유엔조선위원단」 그 자체를 단호히 거부하며 그 운동을 절대 배격함에도 불구하고 미국정부는 「유엔소총회」를 이용하여 남조선에 단독선거를 실시하고 괴뢰적인 소위 「전민족적 정부」를 수립할 것을 결정하였다. … 남조선에서는 우리 조국을 분열하여 예속시키랴는 미국의 반동정책을 지지하여 우리 민족을 반역하며 조국을 팔아먹는 이승만·김성수 매국노들이 발호하고 있다. … 남조선인민들은 초보적인 민주주의적 자유까지도 박탈당하였으며 생활을 향상시킬 하등의 희망과 조건도 가지지 못하고 있다. 우리는 북조선에 주둔한 쏘련군이 북조선인민들에게 광범한 창발적 자유를 준 결과에 북조선에서는 인민들이 자기들이 수립한 인민위원회를 확고히 하며 민주개혁을 실시하며 … 우리 조국이 민주주의적 자주독립국가로 발전될 모든 토대를 공고히 함에 거대한 성과를 거두고 있음을 인정한다. … 우리 남북제정당사회단체들은 … 남조선 단독선거를 파탄시켜야 할 것이며 조국에서 외국군대를 즉시 철거하고 조선인민이 자기 손으로 통일적 민주주의 자주독립국가를 수립할 권리를 부여하자는 쏘련의 제안을 반듯이 실현시키기 위하여 강력히 투쟁하여야 할 것이라고 인정한다.”

이 문서에 기술된 남북한의 상황은 당시 남북한의 실제상황과 정반대되는 것이다. 이 문서는 “우리는 북조선에 주둔한 쏘련군이 북조선인민들에게 광범한 창발적 자유를 준 결과에 북조선에서는 인민들이 자기들이 수립한 인민위원회를 확고히 하며 민주개혁을 실시하며 … 우리 조국이 민주주의적 자주독립국가로 발전될 모든 토대를 공고히 함에 거대한 성과를 거두고 있음을 인정한다.”라고 선언함으로써, 회의참석자들이 북한지역에서 실시된 소련의 정책과 북한에서 진행된 사회주의화가 옳다고 인정해주는 것인 동시에 남한지역에서도 북한지역에서 전개된 것과 같은 일들, 즉 사회주의화가 전개되어야 한다는 것을 간접적으로 수긍했음을 확인해준다. 이 문서는 또 북한에서 인민위원회라는 단독공산정권이 수립되어 공고화되는 것은 옳은 일이고 남한에서 단독정권이 수립되는 것은 절대 저지해야 할 것이라고 주장하고 있는데 이는 바꾸어 말하면 남한에서 정부를 수립하지 말고 북한의 인민위원회를 받아들이라는 이야기가 된다. 요컨대, 평양회의에 참석했던 남북한의 정당 단체 대표들이 서명한 「조선정치정세에 관한 결정서」는 남북한의 공산화통일을 간접적으로 지지하는 문서라고 할 수 있다.

「전조선동포에게 격함」은 미국의 한반도 정책, 유엔총회의 유엔 감시하의 남북한 총선실시 결의, 유엔소총회의 남한지역 선거 실시 결의 등을 비난하고, 소련의 북한정책, 미소군 조속 철군 후 한국문제를 한국인들에게 맡기자는 소련의 제의를 찬양하면서 전체 조선민족에게 다음과 같이 촉구했다.

"북조선에서는 일체 정권이 해방된 조선인민의 수중으로 넘어오고 사회 경제 문화의 각 분야에서 위대한 민주개혁들이 실시되어 빛나는 열매를 거두고 있을 때 우리 조국의 절반 땅인 남조선에서는 미강탈자들의 식민지적 테로 경찰제도를 수립하였다. 인민들은 일제시대와 같이 탄압 유린되고 있으며 강탈 파산되고 있다. … [미정권당국은] 오래전부터 우리 조국을 분열하려는 길을 걸어왔으며 조선인민들을 또다시 식민지노예의 철쇄로 얽매려고 시도하여 왔다. … 미제국주의자들의 범죄적 정책을 받들어 조국과 민족을 팔아먹는 친일파 민족반역자들을 우리 민족 대대손손이 저주할 매국멸족의 죄인으로 우리는 단죄한다. … 소위 「선거」 운운은 흉악한 허위이며 간교한 기만이다. 우리 조국에 대한 외국의 노골적인 간섭 하에서 「선거」를 실시한다는 것은 벌써 오래전부터 우리 조국을 팔아먹으며 미식민지약탈자들 앞에서 꼬리치며 자기 주인들인 미제국주의자들의 흉악무도한 계획을 충실하게 실현할 배족적 망국노들의 「정부」를 수립하려는 이승만 김성수 등 매국도당의 반역음모인 것이다. … 진정한 조선인민은 어느 누구를 막론하고 한사람도 이러한 「정부」를 승인하지 않을 것이며 우리 조국의 진정한 아들딸들은 그 어느 누구를 물론하고 한 사람도 이러한 「선거」에 참가하지 않을 것이다. … 본 연석회의는 남조선단독선거반대투쟁 전국위원회를 조직할 것을 결정하였다. 전력을 다하여 거족적으로 동 위원회의 활동을 지지하라! … 이 위원회에 참가하여 단독선거를 파탄시키는 열화같은 구국투쟁을 전개하라! … 미제국주의자들의 주구이며 충복으로서 조국을 팔아먹는 변절자들과 민족반역자들을 타도하자!"

위의 인용문 중 '북조선에서는 일체 정권이 해방된 조선인민의 수중으로 넘어오고 사회·경제·문화의 각 분야에서 위대한 민주개혁들이 실시되어 빛나는 열매를 거두고'는 이 문서에 서명한 정당과 단체들이 북한에서 진행된 사회주의 지향 변혁들, 북한의 공산화를 지지한다는 것을 간접적으로 표현한 부분이다. 인용문 중 미제국주의자들이 '조국을 분열'하여 남한을 식민지화하려 했다고 비난하고, 남한에서 선거를 추진하고 정부를 수립하려는 세력을 '매국멸족의 죄인으로 단죄한다'고 한 부분은 이 문서에 서명한 정당과 단체들이 소련과 북한공산세력의 공산화통일을 지지하고 있음을 간접적으로 표현한 것이다. 또 이 인용문의 후반부는 전체 한국인들에게 남한 선거와 남한 정부를 반대하는 투쟁에 있어서 공산주의자들의 지도를 따르도록 촉구하는 내용이다. 따라서 「전조선동포에게 격함」 역시 이 문서에 서명한 정당과 사회단체들이 남북한의 공산화통일을 간접적으로 인정하는 문서라 할 수 있다.

「남조선단선단정반대투쟁대책에 관한 결정서」는 평양회의에 참석한 남한지역 정당 단체들이 장차 구성될 남조선 단선반대투쟁전국위원회에 자동적으로 가입된다는 점과 그 위원회의 투쟁활동에 무조건 동조할 것을 약속한 문서이다. 「소련과 미국에 보내는 요청서」는 한국문제에 대한 소련의 제안(미소 양군을 조기에 동시 철수하고 남북한의 한국인들이 외국의 간섭 없이 자주적으로 전국적 선거를 실시하도록 하자는 제안)을 소련과 미국이 받아달라고 요청하는 내용을 담은 문서이다.

4·30성명도 공산화통일 간접 지지

4월 26일 남북연석회의가 폐막된 후 27일부터 30일까지 김구와 김규식이 요구했던 '남북요인회담'이 연회와 병행하여 진행되었다. 27일에는 연석회의에 참석한 남북한의 지도자급 인사 15명이 참석한 15인회담(김구, 김규식, 김일성, 김두봉, 조소앙, 홍명희, 조완구, 김붕준, 이극로, 엄항섭, 허헌, 박헌영, 백남운, 최용건, 주영하 등이 참가)이 개최되었다. '남북 제 정당 사회단체 지도자 협의회'라는 명칭을 가진 이 회담의 참여인사들의 사상경향과 활동경력을 기준으로 볼 때, 이 남북요인회담은 진정한 의미의 남북한요인회담이 아니라 중국에서 활동했던 임시정부의 요인들과 남북한 공산진영의 요인들 간의 회담이었다.

28일부터 30일까지 김구·김규식·김일성·김두봉 등의 4인 회담이 진행되었다. 일련의 회담이 끝난 30일 남북요인회담을 정리한 「남북조선 제 정당 사회단체 지도자 협의회 공동성명서,가 발표되었다.

공동성명 내용은 앞서 분석한 연석회의에서 채택된 문건들의 내용에 비해 언어적 표현은 온건해졌지만 기본적인 입장은 동일했으며, 전조선정치회의 소집이 추가되었을 뿐이다. 공동성명의 전조선정치회의 소집 관련 부분은 다음과 같다.

"외국군대가 철퇴한 후 左記 제 정당 단체들은 공동명의로 전조선정치회의를 소집하여 조선인민의 각층 각계를 대표하는 민주주의 임시정부가 즉시 수립될 것이며, 국가의 정권은 정치·경제·문화·생활의 일체 책임을 갖게 될 것이다. 이 정부는 그 첫째 과업으로 일반적 직접적 평등적 비밀투표로서 통일적 조선입법기관을 선거할 것이며, 선거된 입법기관은 조선헌법을 제정하여 통일적 민주정부를 수립하여야 할 것이다."

오늘날 48년의 남북협상을 미화하는 사람들은 위의 인용문에서 말하는 전조선정치회의 개최 합의를 통일정부 수립의 구체적 방법을 제시한 남북협상의 중요 성과로 평가하고 있다. 그런 사람들은 위의 인용문에 표시된 '左記 제정당단체가 전조선정치회의를 소집한다'는 문구의 정확한 내용과 '직접적 평등적 비밀투표'의 실질적 의미를 파악하지 못하기 때문에 그런 주장을 하고 있다.

남북요인회담의 공동성명은 성명문의 왼쪽에 남북한의 정당 사회단체 56개의 명단을 기록했는바, 그 '좌기 56개'는 전조선정당사회단체 대표자연석회의에 참석한 남북한의 정당과 사회단체의 명단이다. 다시 말해서 공동성명에서 천명된 전조선정치회의는 평양회의에 참석했던 정당 단체들이 소집하는 회의인 것이다. 그런 정당과 단체들이 소집하는 회의에 남한의 우익진영의 정당과 단체들이 참여할리 만무하다. 남한의 최대 정치세력인 우익진영이 불참한, 그리고 남북한의 공산화통일을 간접적으로 인정하는 정당 단체들만의 회의인 '전조선정치회의'에서 통일 임시정부가 구성되면 그 정부가 무엇을 목적으로 하는 정부가 될 것인지 불문가지의 일이다. 그 정부는 공산화 통일로 가는 정부이다.

뿐만 아니라, 이 공동성명에서 말하고 있는 '직접적 평등적 비밀투표'란 1946년 11월 북한에서 실시되었던 비경쟁적 흑백투표함(공개투표) 방식의 투표를 뜻하는 것이다. 자유민주주의 국가에서 시행되는 선거에서의 '자유'원칙이 배제된 투표, 다시 말해서 공산주의 국가에서 시행된 방식의 투표인 것이다. 남북연석회의에 참가한 정당과 단체들이 전조선정치회의를 소집하고, 남한의 우익 정당 단체들이 배제된 그 회의에서 임시정부를 구성하고, 그 임시정부의 주관 하에 북한에서 실시되어온 공산주의 투표방식의 투표를 통해 조선입법기관을 선거하며, 그 입법기관에서 통일적 정부를 구성한다면, 그것은 공산주의 통일정부일 수밖에 없다.

이상의 사실을 정확히 파악하게 된다면, 그리고 남북한이 공산화통일되기를 바라는 사람이 아니라면, 남북요인회담의 공동성명에 들어 있는 '전조선정치회의 소집' 합의를 결코 '성과'라고 말할 수 없을 것이다.

평양회의에서 채택된 문서들의 내용은 김구와 김규식 및 남한의 중간파가 소련과 북한공산주의자들에게 일방적으로 이용당했음을 잘 말해준다.

남북협상 참여 남한인사 다수 북한 '인공' 수립 가담

48년 평양남북협상의 성격을 보다 정확히 알기 위해서는 평양회의에 참석했던 남측 인사들이 평양에서 행한 언동을 상기해볼 필요가 있다. 평양에 갔던 남북협상파 인사들은 연석회의의 중간에, 그리고 연석회의가 폐막된 후 북한정권의 안내대로 평양에서 개최된 연석회의 개최 축하 평양시민대회와 메이데이 군중대회를 참관했다. 그리고 평양에서 가까운 거리에 있는 북한의 산업시설과 학교들을 '견학'했다. 또한 남한의 협상파 지도자들은 북한정권의 인사들이 그들과 인간적 우호관계를 형성하기 위해 베푼 각종 연회에 참석하였다. 그런 행사, '견학', 연회 등에 참석한 남한의 인사들은 북한의 상황과 김일성을 극구 찬양했다. 대표적인 사례를 열거하면 다음과 같다.

△ 김규식 : 조선사람은 누구를 막론하고 소련의 제의가 불가하다고 말한 사람이 없을 것이다. … 유엔소총회는 남조선만이라도 단독선거를 실시하자는 비법적 결정을 채택했다. … 나는 오늘 남북협상 지지 평양시민을 보고 눈물이 났다. … 남조선의 지위를 오늘날의 북조선 지위와 비교한다면 천양지차가 있다. 북조선으로 오니 북조선은 살 토대가 있다. 남쪽은 공장이 없고 미국 차관만 가져오고 여기 공장은 일하고 있으며 남쪽은 망하는 집안 같고 여기는 새로 잘 되는 집안 같다.

△ 홍명희(민족자주연맹부위원장) : 황해제철소를 시찰하고 우리가 하고 있는 건설사업이 세계문화에 기여할 수 있는 명예를 전조선에서 나누어 갖고 싶었다. … 나는 25일 평양시민들을 보았는데

남조선의 군중대회와는 비교할 수 없을 만큼 굉장했다. 이것은 잘 되어가는 집안과 못 되어가는 집안을 비교하면 족할 것이다.

△ 강순(근로대중당 당수) : 나는 희망에 찬 동포들을 보았다. 나는 북조선을 이렇게 발전시킨 영명한 지도자 김일성 장군에게 경의를 표한다. … [북조선]인민위원회는 조선통일정부의 기초라고 생각한다.

△ 이만규(여운형의 최측근인사) : 나는 김일성대학을 시찰하였다. 그 시설과 과학적인 편성에 감탄하였다. … 대학생들은 자유롭게 공부하고 있으며 학원은 민주주의적으로 원활히 운영되고 있는 것을 보았다. 그러나 남조선대학들은 아무런 공부도 되지 않는 형편이다.

△ 김성규(민족대동회 위원장) : 남조선에서 미제국주의자가 실시하려고 하는 단독선거 단독정부를 반대하는 투쟁에 있어서 우리들은 북조선인민의 절대적 원조와 협조가 없이는 도저히 승리할 수 없을 것이다. … 북조선에 와서 북조선인민들이 실지로 건설해놓은 업적을 보고 오직 감격하였으며 김일성 장군의 훌륭한 영도에 대하야 성심으로 경의를 표하는 바이다.

한편, 평양 남북협상회의에 참석했던 남한 측 인사들 가운데 많은 수가 평양에 남아 소위 '조선민주주의인민공화국' 수립에 참여했다. 평양회의에 참석했던 남한 인사들은 230명 내외이고, 그 중 약 70명이 평양에 남아서 북한의 '인공' 수립에 참여했다. 연석회의에 참석한 후 일단 남으로 귀환했다가 다시 북으로 넘어가서 북한의 '인공' 수립에 참여한 사람들을 더한다면, 남한의 남북협상파 중 북한의 인민공화국 수립에 참여한 사람들의 숫자는 더욱 늘어날 것이다. 남한의 남북협상파 정치인들이 북한에서 보인 언동과, 남북협상에 참여한 남한 인사들 가운데 북한의 인민공화국 수립에 참여한 사람들의 비율이 높다는 사실은 48년 남북협상을 주장한 남한 인사들 중의 많은 수가 북한의 인민공화국 수립에 참여하기 위해 남북협상을 주장했다는 점을 확인해준다.

평양의 남북협상회의에서 채택된 문서들이 남한을 북한처럼 만드는 것, 다시 말해서 공산화통일을 간접적으로 지지하는 것들이며, 평양에 간 남한 인사들이 평양에서 북한을 찬양하고 남한을 매도한 것이나, 회의에 참석한 남한 인사 약 3분의 1이 북한의 '인공' 수립에 참여한 점들을 생각하면 1948년 평양 남북협상회의는 남한에서의 정부 수립을 저지하고 통일을 추진하기 위한 것이었으며, 그 통일은 공산화통일을 지향하는 것이었음을 명확하게 이해할 수 있을 것이다.

제10장

5·10선거는 엉터리 선거인가?

유엔의 남한총선 결정과 좌익의 선거 저지 투쟁

대한민국 건국을 위해 1948년 5월 10일 실시되었던 선거에 대해 이 나라 역사학계는 부정적인 해설을 해왔다. 그 해설에 따르면, 5·10선거는 이승만과 미군정이 남한에 분단정권을 수립하기 위해 실시한 선거이고, 민중이 참여하지 않은 선거이고, 많은 정치세력이 참여하지 않은 '반의 반쪽'짜리 선거이고, 자유롭지 못하고 공정하지 못한 선거였다는 것이다. 한 마디로 말해서 5·10선거는 엉터리 선거였다는 것이다. 조정래 같은 소설가는 한술 더 떠서 그의 장편소설 『태백산맥』에서 5·10선거가 하도 엉터리여서 그 선거를 감시했던 유엔 감시위원단이 비판적 보고서를 작성할 정도였다고 주장했다.

5·10선거에 대한 그런 부정적 해설들은 당시 실제로 전개되었던 상황과 일치한 것일까? 그런 부정적 해설들이 실제상황과 일치된 것인지 여부를 판단하기 위해서는 5·10선거가 치러지게 된 과정부터 정확히 살펴봐야 한다.

5·10선거는 이승만과 미군정이 남한에 분단정권을 수립하기 위해

서 실시한 것이 아니라, 유엔총회가 1947년 11월 14일 채택한 한반도의 통일된 독립을 실현하기 위한 남북한 전체의 선거를 실시하라는 결의를 실행하기 위해 치러진 것이다.

유엔총회의 한국문제 결의를 이행할 준비를 하기 위해 1948년 1월 초 유엔조선임시위원단이 서울을 방문했다. 유엔조선임시위원단은 서울에 도착하자마자 남한주둔 미군사령관과 북한주둔 소련군사령관에게 각자의 관할지역에서 유엔위원단이 활동하는 것에 대해 협조해줄 것을 요청하는 서한을 보냈다. 남한주둔 미군사령관은 그 요청을 수락했으나, 북한주둔 소련군사령관은 그 요청을 거부하면서 유엔위원단이 북한지역에 들어가는 것을 허락하지 않았다. 북한에 들어갈 수 없게 된 유엔위원단은 자기들의 향후 활동방향에 대한 지침을 유엔소총회에 물었다. 유엔소총회는 1948년 2월 26일 총선실시가 가능한 지역(곧 남한)에서 유엔감시 하에 총선을 실시하고, 유엔감시 하의 총선실시가 불가능한 지역(곧 북한)에서는 추후 선거를 실시하여 통일정부 구성에 참여토록 하라고 결의했다.

이러한 유엔소총회의 결의가 있은 후 유엔위원단과 미군정이 협력하여 1948년 5월 10일 남한에서 정부수립을 위한 총선을 실시하기 위한 제반 준비조치들이 취해졌다.

5·10선거는 내전상태와 유사한 조건에서 진행되었다. 좌익세력은 남한정부 수립을 저지하기 위해 무장 폭력투쟁을 포함한 다양한 공격을 전개했고, 그러한 공격을 물리치기 위해 미군정과 우익세력은 노력했다. 좌익의 선거저지를 위한 공격과 우익의 선거 관철 노력이 전국적으로 충돌하여 남한 사회는 내전상태에 가까운 혼란상태에 빠졌다.

좌익의 폭력적 선거저지투쟁은 1948년 2월 7일부터 시작된 소위

'2·7구국투쟁'에서부터 본격화되었다. 좌익의 2·7투쟁은 남한지역에서 유엔위원단의 활동을 방해하는 동시에, 유엔총회 결의에 대한 남한주민의 반대가 격렬하고 대규모적인 것처럼 국제사회에 선전하기 위한 것이었다. 유엔위원단의 서울방문 무렵부터 당성과 투쟁력이 우수한 당원들을 선발하여 폭력투쟁조직인 인민유격대를 조직하고 군사부를 설치해두고 있던 남로당은 1948년 2월 7일부터 남한지역 여러 곳에서 유엔위원단 반대, 남조선 단정 반대, 미·소양군 철퇴, 친일파 타도, 임금인상, 인민위원회로의 정권인계 등을 주장하며 격렬한 시위·파업·폭동을 전개하고, 무장테러·교통통신시설 파괴 등을 자행했다. 2월 20일까지 전국 여러 곳에서 산발적으로 전개된 이 투쟁은 제주도를 제외한 지역에서는 일반 민중의 호응이 약해서 큰 효과를 거두지 못했다. 좌익세력이 강한 제주도에서는 이 2·7투쟁이 4·3폭동으로 연결되어 확대되었고, 그로 인해 제주도의 3개 선거구 중 2개 선거구에서는 5·10선거가 실시되지 못했다.

유엔소총회가 남한에서 총선을 실시하도록 결의하자 좌익은 2·7투쟁의 연장선상에서 남한 총선을 저지하기 위한 투쟁을 전개했다. 좌익은 유엔소총회의 결의를 '조국의 국토를 양단하고 민족을 분열시키며 남조선을 식민지화 군사기지화하려는 미제의 노골적인 단정계획'으로 규정하고 그러한 계획을 분쇄하기 위한 '성스러운 전인민적 항쟁에 전국의 동포와 일체의 애국자가 총동원 궐기할 것'을 촉구하고, '단선단정 분쇄하고 양군철퇴로 민주주의인민공화국을 전취하자'고 선동했다. 좌익세력은 그와 동시에 남북협상에 동조하는 좌경중도파 및 김구세력 등과 연대하여 남한 총선을 저지하기 위한 정치적 선전공세를 전개했다.

남한총선 저지투쟁하면서 북한의 통일헌법 지지한 좌익

3월 29일부터 선거인등록이 개시되자 좌익은 본격적인 무장투쟁에 나섰다. 그들은 "미제와 그 앞잡이 이승만·김성수 등 매국노 한민당계열의 지지 밑에 국토를 양단하고 민족을 분열하며 조국을 영구히 미제의 식민지화하려는 단정단선을 인민의 힘으로 분쇄하자"고 선동하며, 선거인등록을 방해했다. 남로당은 4월 1일부터 무장폭동 및 무장유격대 활동을 위한 선전선행대(宣傳先行隊)를 조직하고, 그와 병행하여 각 지구 각 분야별로 소규모의 보조적 무장투쟁조직으로 백골대·유격대 등을 조직하여 선행대와 함께 무장투쟁을 전개하도록 했다. 좌익의 무장투쟁세력은 전국 각지에서 선거인 명부작성의 기초가 되는 호적서류가 있는 면사무소, 선거인 등록업무를 취급하는 선거사무소, 경찰관서와 우익인사 가옥 등을 습격·방화하고, 선거업무 관련 인사와 경찰관 및 우익인사 등을 협박하고 살해하며, 교통·통신기관과 시설들을 파괴하면서 선거인 등록업무를 방해했다.

좌익의 이러한 남한선거 저지투쟁은 북한정권이 마련한 인민민주주의 헌법 초안을 지지하는 캠페인과 병행하여 전개되었다. 북한에서는 1947년 2월에 북한지역의 최고의결기관인 북조선인민회의(남한의 국회에 해당하는 기구)를 구성하고 북조선인민회의는 북한의 정식 정부인 북조선인민위원회를 구성했다. 북로당 및 북조선인민회의는 47년 11월 유엔총회의 한국문제 결의채택과 때를 같이 하여 남북한 통일국가의 강령이 될 임시통일헌법을 제정할 것을 결정하고, 그 결정을 실행하기 위해 조선임시헌법제정위원회를 구성했다. 헌법제정위원회는 사회주의로 가기 위한 과도적 체제인 인민민주주의 원리에 따라 작성된 헌법초안을 1948년 2월 6일 북조선인민회의에 보고했다. 북한정권은 2월 13일부터 4월 25일까지 남북한 전역에 적용될 인민민주주의 헌법초안을 북한주민에게 알리고 주민들의 지지를 확보하기 위한 선전활동을 대대적으로 전개했다.

남로당과 남조선민전은 북한에서 만든 통일헌법 초안에 대한 지지를 선동하면서 그 헌법초안에 대한 남한 좌익세력의 지지 연판장을 만들어 북조선인민회의에 보냈다. 북한정권은 4월 9일 이 헌법에 따라 한반도의 중앙정부를 수립하기로 결정했다. 북한정권은 그러한 결정을 하면서 "우리가 수립할 정부는 남북조선의 선거를 통하여 우익 중간을 물론하고 인민들의 각계각층이 참가할 것이다. … 우리가 수립할 진정한 통일적 조선인민의 정권인 민주주의인민공화국 중앙정부는 … 유일한 주권임을 인정한다."라고 주장했다. 북조선인민회의는 4월 29일 조선임시헌법제정위원회가 만든 통일정부 수립을 위한 헌법초안을 원안대로 통과시켰다. 북한의 통일헌법 통과는 남북협상 참여차 평양에 간 남한 측 남북협상파 인사들이 평양에 체류하는 시기에 취해졌다.

남한좌익세력이 북한정권이 만든 이러한 헌법초안을 지지하는 캠페인을 전개하면서 남한에서 정부수립을 위한 선거를 저지하는 투쟁을 전개했다는 것은 그들의 선거저지투쟁이 남한 공산화, 곧 남북한 공산화통일을 목적으로 한 것임을 명확하게 말해준다. 중도파와 김구세력이 좌익세력의 그러한 행동은 비판하지 않고 5·10선거 저지를 위해 좌익세력과 연대했다는 것은 그들이 좌익세력의 공산화통일투쟁을 간접적으로 지지해준 것을 의미한다.

1948년 4월 평양에서 남북협상이 개최된 이후 5·10선거 반대투쟁은 단선반대투쟁전국위원회를 중심으로 전개되었다. 평양의 남북협상에서는 남북협상에 참여한 모든 정당과 단체들이 단선반대투쟁전국위원회에 참여하기로 결정되었으며, 그에 따라 남로당은 신속하게 단선반대투쟁전국위원회와 도·시·군 지부를 결성하여 그 위원회의 명의로 5·10선거 저지투쟁을 선동했다.

이 위원회는 투표일을 5일 앞두고 "남조선의 진상은 미국인들이 자유환경 아래서 선거를 준비하는 것이 아니라 강압과 위협의 환경에서 이를 준비하고 있으며, 단선을 반대하여 일어난 제주도 인민투쟁을 피바다에 잠그고 있다. … 어떤 강압과 위협에도 굴종하지 말고 단선 보이코트에 대한 남북조선 제정당사회단체 연석회의의 결정을 실천하며 남조선 단선을 결정적으로 파탄시키자"고 선동하면서 총선반대 진영의 모든 조직에게 총선파탄 총동원령을 내렸다. 남로당은 투표일 직전인 8일과 9일 전조직을 동원하여 교통·통신기관의 시설 파괴 및 파업을 전개하여 무정부적 혼란상태를 조성하려고 노력했고, 투표일에는 투표소를 습격하고 투표에 참여하려는 주민들의 마을을 공격했다.

좌익의 극렬한 5·10선거 저지투쟁은 남북협상에 동조한 좌경중도파와 김구세력에 의해 정치적으로 지원되었다. 그들은 좌익의 남한 총선 저지투쟁에 발맞추어 남한총선을 비난했으며, 남한총선을 저지하기 위한 남북협상에 참여하여 남한의 민중으로 하여금 투표참여를 망설이게 만들었다. 또한 단선반대투쟁전국위원회에 참여하여 좌익들의 선거저지를 위한 무장투쟁을 정당화해주었다.

우익의 선거 보호 노력

남한정부 수립운동을 전개해온 이승만 중심의 우익진영과 미군정은 5·10선거를 저지하려는 좌익의 무장폭력투쟁, 그리고 좌익과 좌경 중도파 및 김구세력이 연대하여 전개한 선거반대 선전공세로부터 선거를 보호하기 위해 많은 노력을 전개했다.

우선 이승만과 하지는 민중들이 선거에 참여하는 의욕을 가지도록 계몽하는 활동을 전개해야만 했다. 좌익과 중도파의 선거에 대한 악선전으로 인해 민중들이 선거를 오해하고 있을 가능성이 컸기 때문이다.

이승만은 남한총선 실시가 확정되자 한국역사상 최초로 실시되는 민주선거가 세계의 모범적 선거가 되도록 하기 위해 국민들이 선거에 많이 참여할 것과 유권자들이 올바른 기준에서 지지자를 선택할 것을 호소했다. 이승만은 3월 하순부터 투표일인 5월 10일까지 기회 있을 때마다 성명을 발표하고 기자회견을 해서 유권자들의 선거인등록을 촉구하고, '선거 후 미국이 남한에 고등판무관을 두고 한국내정을 좌우할 것'이라거나 '한국이 유엔의 신탁통치를 받게 될 것'이라는 등의 좌익과 중도파 및 김구세력 등의 선전이 거짓임을 설명했다. 특히 투표일을 며칠 앞둔 시점에서 김구와 김규식이 평양에서 남북협상을 마치고 귀환한 후 마치 남북협상이 성공적인 결실을 거둔 것처럼 선전함에 따라 유권자들의 투표열의가 식어지는 듯한 조짐을 보이자 이승만은 국민들에게 기만적인 남북협상에 동요하지 말고 투표에 참여하라고 호소하는 성명을 발표했다.

하지는 선거일 발표 이후 총선과 관련된 특별성명을 빈번히 발표했다. 그런 성명들을 통해 남북협상을 추진하며 총선을 방해하려는 세력들이 전개하는 선거와 미국의 정책에 관한 각종 거짓선전들을 반박하면서 대중은 그들의 거짓선전에 속지 말고 선거인등록을 하고 투표에 적극 참여하라고 당부했다.

이승만과 하지가 언론매체들을 통해 계몽활동을 전개하는 동안 독촉국민회를 비롯한 우익진영의 각 정당과 단체들도 유권자들을 직접 접촉하며 계몽활동을 전개했고 공무원들과 경찰관들도 그런 계몽활동을 지원했다.

건국운동세력과 미군정은 좌익의 선거저지·파탄투쟁으로부터 선거를 물리적으로 보호하기 위해 향보단(鄕保團)을 조직·운영했다. 선거를 저지하려는 좌익 주도의 파업과 폭동 및 무장투쟁으로 치안혼란이 심각해지고 경찰 및 우익인사들의 사상자가 증가하자 건국주도세력과 미군정은 선거를 물리적으로 보호하는 방법을 놓고 고심했다. 당시 미군병력은 일반 치안문제에는 개입하지 않았으며, 선거보호를 위해 미군병력이 직접 개입하게 되면 선거가 한국인의 자주적 의지에 따른 것이 아니며 선거가 공정한 분위기 속에 진행되지 못했다는 비판을 받을 우려가 있었다.

선거보호를 위해 동원될 수 있는 공권력은 한국인 경찰뿐이었으며, 한국인 경찰은 총 3만 5천여명에 불과했다. 이러한 경찰병력만으로 호적서류를 보관하고 있는 면사무소 1천 4백여개소와 유권자 등록 및 투표를 관리하는 선거사무소 1만 3천 8백여개소, 그리고 좌익이 공격대상으로 삼는 수많은 우익인사들을 보호할 수 없었다. 또한 경찰 구성원 중에는 일제 하에서 경찰이나 그 보조원으로 종사했던 사람들이 많아서 대중의 경찰에 대한 감정이 좋지 않았다. 그렇다고 자유선거를 실시해야 할 처지에 계엄령을 선포하여 미군과 국방경비대를 동원할 수도 없었다. 이러한 악조건에서 건국주도세력이 도출해낸 아이디어가 향보단이다. 각 지역의 주민들 스스로가 자기들의 거주지를 좌익의 공격으로부터 보호하는 단체를 만들어 방어활동을 하자는 구상이다. 향보단은 각 지역의 주민들이 경찰의 협조 하에 행정단위 별로 조직한 자율적 향토방위조직이다. 미군정은 건국주도세력의 건의를 수용하여 미군정 경무부장에게 총선보호를 위한 한시적 조직으로 향보단을 조직하도록 했다.

향보단은 4월 1일부터 각 말단 행정단위별로 조직되기 시작했으며, 전국적 조직이나 중앙의 지휘부는 두지 않는 단순한 지역주민의 자율적 조직으로 운영되었다. 경찰은 향보단의 조직을 지원하고 해당지역에 사태가 발생할 경우만 향보단의 활동을 지휘할 뿐 평소의 활동에는 개입하지 않도록 했다. 향보단에는 만 18세 이상 55세 미만의 남자 주민들이 참여했다.

높은 선거 참여율

건국운동세력과 미군정의 선거보호 노력 및 계몽활동으로 인해 주민들의 선거참여율이 높아졌다. 4월 9일에 마감된 선거인등록에서 매우 많은 유권자들이 등록했다. 유권자들의 선거인등록률은 중앙선거관리위원회의 통계에 의하면 96.4%에 달했다. 유엔조선임시위원단의 자료에는 선거인등록률이 79.7%로 소개되어 있다. 설사 유엔위원단의 통계를 타당한 것으로 받아들인다 하더라도 당시 전개되었던 좌익세력·좌경중도파·김구세력 등의 치열한 선거인등록 방해 노력에 비추어

볼 때 79.7%라는 등록률은 매우 높은 것이다.

5·10선거에는 다양한 정치성향의 많은 후보자들이 입후보 했다. 입후보자 총수는 948명이었으며, 5·10선거의 평균경쟁률 4.7 대 1이었다. 이러한 평균경쟁률은 그 이후의 한국 국회의원선거에 있어서의 지역구 평균경쟁률 4.6 대 1에 비추어볼 때 결코 낮은 수치가 아니다.

5·10선거 입후보자들의 소속 정당과 단체는 48개나 되었고, 무소속 출마자도 417명이었다. 입후보자들의 소속 정당에는 한독당·청우당 등 남북협상에 참여한 정당도 있었고 민중당과 민족사회당 등 중도파 정당도 있었다. 무소속 출마자 중에는 조봉암(인천)·김약수(부산) 등 중도파 정치인들이 매우 많았다. 5·10선거에 입후보한 무소속 가운데 중도파인사들이 많았다는 사실은 중도파인사들의 증언과 5·10선거에 당선된 무소속의원들의 사상성향에 관한 미군정정보팀의 분석이 입증해준다. 5·10선거 불참을 선언했던 독립노동당의 간부 하기락 등의 증언에 따르면, 독립노동당 당원이 당명을 어기고 무소속 등으로 선거에 입후보하여 당선된 사람이 14~15명에 달했다. 미군정정보팀의 분석에 따르면, 5·10선거에서 당선된 무소속의원들 가운데 조봉암이 이끄는 52명은 '좌익'(필자의 판단으로는 '중도좌파'가 보다 적절할 듯)의 정치성향을 가졌다.

자유롭고 공정했던 5·10선거

5·10선거는 내전 같은 혼란 속에서 치러졌기 때문에 그 분위기는 정치상황이 안정된 평온한 민주국가에서의 선거분위기처럼 완벽하게

자유롭고 평온하지는 못했다. 그러나 당시 선거저지를 위한 좌익세력의 무장폭력투쟁이 격렬하여 전체 사회분위기가 내전상태와 유사했었다는 점을 고려하면 5·10선거의 분위기는 자유롭지 못했다거나 공정하지 않았다고 말할 정도는 아니었다. 이는 5·10선거를 감시했던 유엔조선임시위원단의 5·10선거에 관한 보고서의 다음과 같은 결론에서 확인된다.

"위원단은 [5·10선거에 대해] 위에서 언급한 사실들을 고려하여 다음과 같은 견해를 갖게 되었다.

(a) 선거 준비기간과 선거 당일에 있어서 남조선에는 언론 출판 집회의 자유 등의 민주주의적 제권리가 인정 및 존중된 합당한 정도의 자유 분위기가 존재하였다.

(b) 조선주둔 미군 및 남조선과도정부는 선거수속에 관한 위원단의 건의에 응하였으며, 선거 실시는 전반적으로 선거법 및 선거규정에 부합되었다.

(c) 선거는 조선의 독립을 회복하는데 있어서의 한 단계로 간주되고 있었으며, 이것이야말로 선거인들 앞에 제시된 유일한, 실질적인 쟁점이었으며 등록과 투표의 양면에 있어서 높은 퍼센티지를 기록하게 만든 요인이었다. 선거에 입후보한 후보자들은 조선의 통일과 독립을 실현하기 위한 이러한 방법[선거를 뜻함]을 지지했으며, 따라서 선거인들에게 근본적으로 대립되는 쟁점들을 제시하지 않았다. 선거와 관련된 쟁점들에 대한 반대는 선거 자체를 보이콧하는 형태를 취했다.

(d) 선거감시반의 보고서와 위에 언급한 각 장별 결론들을 고려하고 또 조선사람들의 전통적 역사적 배경을 생각할 때, 1948년 5월 10일 투

표의 결과는 조선의 위원단이 접근 가능한 부분이며 전체 조선인구의 약 3분의 2에 근접하는 인구가 거주하고 있는 지역에 있어서의 선거인들의 자유의사의 타당한 표현이다."

위의 인용문은 유엔위원단의 5·10선거에 대한 보고서 내용이 비판적인 것이 아니라 긍정적인 것이었음을 말해주고 있다.

좌익의 선거저지 무장폭력투쟁에 대한 미군정·경찰·향보단·건국운동세력의 선거보호활동과 계몽활동으로 인해 5월 10일의 투표는 제주도의 2개 선거구를 제외한 모든 선거구에서 큰 차질 없이 진행되었다. 투표율은 중앙선거관리위원회의 자료에 따르면 95.5%였고, 유엔위원단의 자료에 따르면 89.8%였다. 총유권자 대비 투표율은 중앙선관위

1948년 5월 10일 투표에 참여하기 위해 투표소 앞에 줄서있는 유권자들.

자료에 따르면 92.1%가 되고, 유엔위원단 자료에 따르면 71.6%가 된다. 당시 5·10선거 반대세력의 선거방해투쟁이 치열했던 점을 고려한다면 유엔위원단 자료를 기준으로 한 71.6%의 투표율도 결코 낮은 투표율이 아니다.

5월 10일의 투표에 의해 198명의 국회의원이 선출되었다. 원래 헌법에 규정된 국회의원의 정원은 200명이나 제주도 2개 선거구에서는 폭동으로 인해 선거가 실시되지 못하였다. 국회의원 당선자들의 정당·단체별 분포를 보면, 무소속 85명, 독촉국민회 54명, 한민당 29명, 대동청년단 12명, 기타 군소 정당·단체 소속 18명 등이다. 무소속으로 당선된 자가 전체의 43%나 되었다. 선거반대세력으로부터 선거에서 미군정의 전폭적 지지를 받아 다수의 당선자를 낼 것이라는 비난을 받았던 한민당 소속 당선자는 전체의 14.5%인 29명에 불과했다. 이러한 선거결과는 5·10선거가 상당히 자유롭고 공정한 선거였음을 말해준다.

이상과 같이 볼 때, 5·10선거는 이승만과 미군정이 남한에 분단정권을 수립하기 위해 실시된 선거가 아니고, 민중의 참여율도 낮지 않은 선거이며, 다양한 정치세력이 참여한 선거였고, 상당히 자유롭고 공정한 선거였다는 것이 확인된다. 5·10선거는 결코 엉터리선거가 아니었고, 민주국가를 건국하는데 손색이 없는 선거였던 것이다.

제11장

친일파가 대한민국을 건국했다고?

대한민국 건국반대세력의 친일파건국론 주장

1948년 1월 남북한 총선에 의한 한반도 통일정부 구성을 추진하기 위해 유엔한국임시위원단이 서울에 와서 활동하던 시기부터 남한 단정(단독정부)에 반대하는 세력들이 남한단정 수립을 주장하는 세력을 친일반역도배로 매도하기 시작했다. 그러한 비판에 앞장선 것은 말할 것도 없이 남북한의 노동당(공산당)과 그 주변세력이었다. 이들은 한반도 전역에 유엔 감시하의 총선을 실시하라는 유엔결의가 소련의 거부로 인해 이행될 수 없고 결국 남한 단독선거로 문제가 해결될 것으로 판단하여, 그것을 저지하기 위한 단선저지 투쟁을 강화하기 위해 단선 추진세력에 대한 욕설 수위를 친일반역도배로 높인 것이다.

북조선노동당(북로당) 및 남조선노동당(남로당)과 그 주변세력의 이러한 선전전은 때마침 공산세력이 쳐놓은 남북협상 트랩에 걸려든 김구의 지원을 받아 위력이 한층 더 강화되었다. 김구가 1948년 2월 10일 발표한 「삼천만 동포에 읍고함」이라는 성명은 김구가 그런 지원을 했음을 잘 설명해준다. 극히 감상적인 문장들로 작성된 그 성명에는 다음과 같은 내용이 들어 있다.

"미군주둔 연장을 자기네의 생명연장으로 인식하는 무지몰각한 도배들은 국가 민족의 이익을 염두에 두지 아니하고 박테리아가 태양을 싫어함이나 다름이 없이 통일정부 수립을 두려워하는 것이다. 그리하여 그들은 음으로 양으로 유언비어를 조출하여 단선단정의 노선으로 민중을 선동하여 유엔위원단을 미혹케 하기에 전심전력을 경주하고 있다. 미군정의 보호 하에 육성된 그들은 경찰을 종용하여서 선거를 독점하도록 배치하고 인민의 자유를 유린하고 있다. 그래도 그들은 태연스럽게도 현실을 투철히 인식하고 장래를 명찰하는 선각자로 자임하고 있다. 그러나 이러한 선각자는 매국매족의 일진회식 선각자일 것이다. 왜적이 한국을 병합하던 당시의 국제정세는 합병을 면치 못하게 되었던 것이다. … 이 현실을 파악한 일진회는 동경까지 가서 합병을 청원하였던 것이다. … 한국 분할을 영원히 공고히 만든 새 일진회는 자손만대의 죄인이 될 것이다."

이러한 비판은 2개월 후 평양에서 개최된 남북협상회의에서의 남한 단선(단독선거)추진세력에 대한 비판에 그대로 반영되었다. 남북협상회의에서 채택된 문서의 하나인 「전조선동포에 격함」에 들어있는 "미제국주의자들의 범죄적 정책을 받들어 조국과 민족을 팔아먹는 친일파 민족반역자들을 … 매국멸족의 죄인으로 우리는 단죄한다"는 문장으로 연결된 것이다. 그 후 대한민국 건국을 위해 남한지역의 선거와 정부수립을 추진하는 세력은 그 반대진영에 의해 친일파와 동일화되었다.

그러나 당시에는 압도적 다수의 국민들이 대한민국의 건국에 참여했고 그 정당성을 의심하지 않았기 때문에 그러한 주장은 대중적 설득력을 가지지 못했다. 당시 대한민국 건국에 반대했던 중도파 지도자들인 조소앙과 안재홍마저도 대한민국 건국 후에는 성명과 글을 통해 대한민국의 정당성은 논란의 대상이 될 수 없다고 단언했다. 게다가 1950년 6월 북한의 남침으로 남한을 공산화하려는 남북한 공산세력의 의도가 분명하게 확인됨으로써 남한지역만이라도 공산화를 면하게 하기 위한 대한민국 건국의 정당성은 더 이상 시비의 대상이 되지 않았다.

4·19와 5·16을 거치면서 사정이 달라졌다. 이승만이 독재를 하다가 4·19혁명으로 실각하고, 한국민주당(한민당)의 후신이라 할 수 있는 민주당의 정권이 5·16으로 와해된 이래 대한민국 건국의 정당성을 적극적으로 옹호하는 세력이 크게 약화되었다. 또한 독재를 한 이승만과 무능한 민주당 정권을 비판하는 논객들은 점차 이승만과 한민당의 대한민국 건국 노력의 정당성까지 회의하는 경향을 나타냈다. 그러한 사회적 분위기는 대한민국 건국과 6·25전쟁 이후 숨죽여 오던 대한민국 건국반대운동에 참여했던 인사들의 사기를 고무했다. 그들이 사회적으로 부활하면서 친일파건국론도 부활했다. 그들은 대한민국은 우리 민족을 분단하기 위해 미국의 사주를 받은 친일파들이 건국한 나라라는 선전활동을 재가동했다. 그런 선전활동을 전개한 사람들 가운데는 공산주의자도 있고 김구를 추앙하는 감상적 민족주의자들도 있었다.

1980년대 이후의 친일파건국론 확산

1980년대에 들어서면서 그러한 주장이 우리 사회에서 급격히 확산되었다. 당시 남한에서 사회주의혁명을 실현하려 한 좌익혁명세력은 남한의 기성질서를 뒤엎는 자기들의 혁명투쟁을 정당화하기 위한 사상투쟁의 일환으로 대한민국의 역사를 부정적으로 왜곡하여 대한민국의 정당성을 부정하는 이론투쟁을 전개했다. "대한민국의 건국 자체가 잘못된 것이었기 때문에 남한은 미국의 식민지가 되었고 대한민국 사회는 부정·부패가 판치는 악의 사회가 될 수밖에 없었다. 그러므로 대한민국의 기존질서는 가차 없이 파괴되어야 한다"는 인식을 운동권과 대중의 뇌리에 각인시키기는 것이 그러한 이론투쟁의 목적이었다. 좌익혁명세력은 그러한 목적을 달성하기 위해 '대한민국은 친일파들이 세운 국가'라는 대한민국 건국반대 세력이 주장해온 명제를 더욱 널리 확산시켰다. 이러한 친일파건국론은 주한미군 철수나 반미를 추구하는 투쟁이 확대되면서 한층 더 널리 확산되었다.

처음에는 대한민국 건국사를 왜곡하는 주장이 대학가에서 학술논문이나 책자의 행태로만 보급되었다. 다음에는 대학신문이나 교지, 그리고 집회 시위 때 뿌려지는 전단 등을 통해 대학생들 사이에 널리 보급되었다. 그러한 주장은 해방직후 3년의 역사, 혹은 대한민국의 건국역사를 왜곡한 것이었지만, 그러한 왜곡을 바로 잡아주는 학문적·언론적 노력이 거의 전개되지 않은 탓에 대학생들과 현대사에 대한 지식이 결여된 청년들에게 일방적으로 공급되었다. 그 결과 1980년대 이후 대학을 다닌 대학생들이나 그 무렵에 한국사회에 대한 비판적 시각을 가지면서 한국현대사에 관한 저술들을 읽은 청년들은 자기의 뇌리에 '대한민국은 친일파들이 세운 국가'라는 잘못된 주장을 유일하게 올바른 지식으로 저장하게 되었다.

이들 대학생들과 청년들은 성장하여 사회의 각 분야에서 활동하면서 그들의 뇌리에 각인된 '대한민국은 친일파들이 세운 국가'라는 명제를 대중에게 전파했다. 특히 언론계와 예술계에 종사하는 사람들의 전파력이 강했다. 그러한 잘못된 지식을 가진 기자와 PD들은 신문과 방송에 자기들이 가지고 있는 잘못된 지식을 직접 전달하기도 하고 그런 잘못된 지식을 가진 인사들을 동원하여 전달하기도 했다. 또한 그런 잘못된 지식을 가진 소설가, 시나리오작가, 연출가들에 의해 해방 직후 3년사를 다루는 소설, 드라마, 영화, 연극 등이 한결같이 '대한민국은 친일파들이 세운 국가'라는 메시지를 대중에게 전파했다. 대한민국 국민들은 그러한 잘못된 지식을 수용하도록 거의 매일 같이 세뇌되어 온 것이다. 그 결과 '대한민국은 민족분단을 위해 미국의 사주를 받은 친일파들이 세운 국가'라는 주장은 이제 사회적 정설이 되어 버렸다.

그러한 잘못된 주장이 사회적 정설로 된 탓으로 인해 우리 국민들 사이에서는 대한민국의 건국을 부정적으로 보는 사람들이 많아졌고, 정부마저도 대한민국의 건국을 기념할만한 가치가 없는 것으로 취급하게 되었다. 1980년대 후반 이후 대통령을 역임한 노태우·김영삼·김대중·노무현 등 역대 대통령들은 원래는 대한민국의 독립(건국)을 기념하는 국경일로 제정되었으나, 중간에 일제식민지배로부터의 해방과 대한민국의 건국을 동시에 기념하기로 왜곡된(왜냐 하면, 식민지배로부터의 해방된 날과 대한민국 건국일자가 같은 8월 15일이기 때문에) 광복절 기념식에서 우리 민족이 일제로부터 해방된 것의 의의만 강조하고 대한민국 건국의 의의는 언급하지 않거나 부정적으로 언급해왔다.

대한민국 건국 50주년 기념식도 그 명칭에 '건국'이란 용어를 사용하지 않고 '정부수립'이란 용어를 사용하면서 '건국'의 의의를 긍정적으로 부각시키지 않도록 거행되었다. 김대중 정부와 노무현 정부는 '제2의 건국'이니 '잘못 끼어진 단추'니 등의 표현으로 대한민국 건국을 부정적으로 평가했다. 심지어는 대한민국임시정부 수립 기념식은 매년 성대히 거행되어 그 의의가 높이 평가되면서도 대한민국 건국의 정당성과 의의를 언급하는 대한민국 대통령들의 언명은 어떤 기념식에서도 등장하지 않게 되었다.

대한민국 건국 폄하 캠페인이 극에 달하여 마침내는 대한민국의 건국일마저도 1948년 8월 15일이 아니라 1919년 4월 11일(대한민국임시정부 수립일)이라고 주장하는 사람들까지 등장했다. 그들의 선전력이 강하고, '대한민국은 친일파가 건국했다'는 잘못된 관념의 영향을 받아 마침내는 대한민국 건국년도를 1919년이라고 생각하는 국민이 1948년을 건국년도로 생각하는 국민들보다 많게 되었다. 심지어는 1948년을 대한민국 건국년도라고 주장하는 사람은 친일파로 매도되고 있다.

친일파와는 거리 먼 건국주도세력

그렇다면, 대한민국은 정말로 친일파에 의해 건국되었을까? 대한민국 건국에 앞장서온 건국주도세력은 정말로 친일파였을까?

대한민국 건국 주도세력은 크게 두 개의 축으로 구성되었다. 하나는 이승만과 독립촉성국민회이고 다른 하나는 한민당이다. 한민당도 이승만을 추종하는 집단이었지만 이승만으로부터 상당한 독립성을 가진 집단이었다.

이승만이 친일파였던가? 이승만이 항일독립운동의 최고지도자들

중의 1인이며, 대한민국 건국 후에도 반일노선을 강력하게 유지해온 지도자라는 것은 세계가 다 아는 일이다. 이승만이야말로 독도를 우리나라 영토로 귀속하게 만든 평화선을 선포했고, 일본이 독도영유권을 주장하면 우리는 대마도영유권을 주장하자고 천명한 반일의 지도자이다.

그렇다면, 대한독립촉성국민회가 친일파들의 집단이었던가? 대한독립촉성국민회의 지도부는 이시영, 오세창, 명제세, 신익희, 이청천, 이윤영, 배은희 등 저명한 민족독립운동가들로 구성되었다. 따라서 설혹 독립촉성국민회의 조직에 친일경력을 가진 인사들이 일부 참여했다 하더라도 누구도 그 단체를 친일파들의 단체로 규정할 수 없을 것이다.

대한민국 건국주도세력 가운데 친일파 논란의 대상이 될 수 있는 집단은 한민당 뿐이다. 한민당이 친일파들의 집단인지 여부는 상당히 길게 따져봐야 한다. 한민당이 친일파세력의 집단인지 여부를 정확히 이해하기 위해서는 우선 한민당의 창당과정부터 살펴봐야 한다.

한민당은 좌익세력이 8·15해방과 동시에 조선건국준비위원회를 구성하는 등 정계의 기선을 장악하면서 공세적인 활동을 전개하는 데 대해 위기의식을 가진 국내활동 우익 민족지사들에 의해 창당되었다. 국내활동 민족지사들은 처음에는 두 갈래로 우익정당 창당작업을 전개했다. 하나는 김병로, 이인, 조병옥, 백관수, 원세훈 등이 주도한 조선민족당의 창당이었다. 조선민족당의 창당을 주도한 인사들은 대체로 지속적으로 국내에서 민족운동을 전개해왔고, 사회주의에 대해서는 보다 관용적이고 친일파에 대해서는 보다 엄격한 입장을 취하는 인사들이었다. 다른 하나는 장덕수, 허정, 김도연, 백남훈, 윤치영, 윤

보선 등이 주도한 한국국민당의 창당이다. 한국국민당의 창당을 주도한 인사들은 대체로 구미(歐美)에서 유학 혹은 민족운동을 하다가 귀국한 지식인 및 그들과 친분이 깊은 인사들로서 사회주의에 대해서는 덜 관용적이고 친일파에 대해서는 보다 관용적인 경향을 나타냈다.

조선민족당과 한국국민당은 처음부터 우익진영의 통합정당을 지향했기 때문에 창당작업의 개시와 거의 동시에 양측 간의 통합작업을 전개했으며, 그 결과 한국민주당이라는 우익진영 통합정당의 창당을 발기하게 되었다. 한민당의 창당발기대회가 개최된 후 그동안 정당 창당에 소극적인 태도를 취하던 우익진영의 다른 한 계파도 한민당에 합류했다. 동아일보를 중심으로 활동해온 이 계파는 그동안 우익정당 창당작업에 소극적 태도를 취하면서 국민대회 개최를 준비해왔었다. 뒤늦게 한민당에 합류한 국민대회준비위원회 측의 주도적 인사들은 송진우, 김성수, 김준연, 서상일, 김동원 등으로서 사회주의와 친일파에 대해 다 같이 관용적인 경향을 나타냈다. 결국, 조선민족당, 한국국민당, 국민대회준비위원회 등 우익진영 3개 계파가 통합하여 한민당을 창당하게 된 것이다.

우익진영의 통합정당인 한민당 지도부에는 일제치하에서 민족을 위한 운동을 전개한 민족지사들이 많았다. 민족을 위한 운동, 즉 민족주의운동에는 3가지가 있다. 민족운동, 민족독립운동, 민족해방운동 등이다. 민족운동은 민족 전체나 민족 구성원들에 도움을 주는 모든 집단적 활동을 말한다. 민족독립운동은 이민족의 지배로부터 민족의 정치적 독립을 달성할 것을 목표로 한 운동이다. 민족해방운동은 이민족의 지배로부터 정치적 독립을 달성한 데 더하여 민족국가를 사회주의국가로 만드는 것까지를 포함하는 운동이다. 한민당의 지도자들은 민족독립운동이나 민족해방운동은 적극적으로 전개하지 않았지만 민족운동은 전개한 사람들이다.

한민당의 지도부를 구성하고 있는 인사들, 즉 국내에서 일면 타협일면 저항의 온건한 그리고 신변위협이 크지 않은 민족운동을 전개한 인사들은 중국을 비롯한 해외에서 고생하며 항일독립투쟁을 전개했던 인사들과 비교하면 친일파에 가깝지만, 일제에 의식적으로 협력한 자들이나 일제에 복종만 해온 국내의 대중들에 비교하면 민족지사들임이 분명하다.

뿐만 아니라, 한민당 지도부에는 분명하게 친일파로 규정될 만한 인사들은 거의 참여하지 않았다. 그렇게 된 것은 한민당을 창당할 때 '친일파를 배제하되 다소 융통성을 둔다'는 인선원칙을 정했기 때문이다.

이상과 같이 볼 때, 한민당은 친일파나 친일경력자들이 주도하여 창당한 정당이 아니라 국내에서 민족운동을 전개했던 인사들이 주도하여 창당된 정당임이 분명하다. 강하건 약하건 간에 친일활동을 한 경력이 있는 인사들이 한민당에 상당수 참여했던 것은 부인할 수 없는 사실이다. 설사 그들을 모두 친일파로 규정한다 하더라도 그들이 한민당 창당을 주도하지 않았으며, 그들이 한민당 지도부의 다수를 구성한 것이 아니기 때문에 온당하게 말한다면 누구도 한민당을 친일파정당으로 규정할 수는 없을 것이다.

한편, 한민당에 참여한 친일활동 경력자들을 모두 친일파로 규정해야 할 것인가도 진지하게 따져봐야 할 사항이다. 해방직후 친일파 숙청을 강력하게 주장했던 좌익진영의 통일전선기구인 민주주의민족전선은 친일파를 '일본제국주의에 의식적으로 협력한 자들'이라고 정의했다. 이러한 민전의 친일파 정의를 기준으로 할 때라도, 한민당에 참여한 친일활동 경력자들의 대부분은 친일파로 규정하기 어려운 인사들이다. 그들의 대부분은 어떤 목적을 위해 '친일을 해야겠다'는 적극적 의식을 가지고 친일활동을 전개한 것이 아니라 일제의 강요 때문이거나 일제말기 사회단체나 기관의 책임자였기 때문에 마지못해서 일제가 조직한 단체의 임원 명단에 포함되거나 친일적 연설을 하고 글을 썼던 인사들이다. 좌익진영 지도자의 한 사람인 여운형이 일제말기 상당한 친일활동을 했음에도 불구하고 그를 친일파라고 규정하지 않는 것과 마찬가지로 한민당에 참여한 친일경력자들의 대부분도 친일파로 규정하기에는 무리가 있는 인사들이다.

그렇다면, 한민당은 친일파들의 정당이 아니라 일부 소극적 친일경력자들을 내포한 온건한 민족지사들의 정당으로 규정하는 것이 타당하다.

건국과정의 친일파 배제

위에서 드러난 바와 같이 대한민국 건국의 주도세력, 즉 이승만과 독립촉성국민회 및 한민당은 친일파들이 결코 아니다. 바꿔 말해서 대한민국을 친일파가 건국하지 않았다는 것이 명백해졌다.

그러나 건국주도세력이 친일파가 아니라고 하여 건국주도세력과 친일파가 적대적이었다고는 말할 수 없다. 친일파에게는 남한까지 공산화되는 것보다는 남한에서만이라도 반공정권이 세워지는 것이 크게 이익이었다. 때문에 남한에 반공정권을 세워서 공산화통일을 저지하려는 대한민국 건국주도세력은 그들에게 고마운 존재였다. 그래서 친일파는 건국주도세력에 대해 물질적 정신적 및 인력적 지원을 제공했을 것이다. 건국주도세력도 공산세력 주도의 건국방해세력과의 투쟁에 물질적 정신적 및 인력적 자원이 절실히 필요했기 때문에 친일파의 지원을 수용했을 것이다.

그럼에도 불구하고, 건국주도세력과 친일파는 지원을 주고받기는 했지만 완전히 혼성적 결합을 한 것은 아니었다. 대한민국 건국주도세력이 건국방해세력과 싸우기 위해 친일파의 지원을 수용하면서도, 친일파와 혼성적 결합을 피하려 한 것을 드러내는 대표적 사례로 5·10선거의 선거법을 들 수 있다. 대한민국 건국주도세력은 친일파와 자기들을 분리하고, 대한민국 건국의 정당성 훼손을 막기 위해 건국과정에 대한 친일파의 참여를 배제했으며, 그것을 5·10선거법에 반영했다.

대한민국 건국주도세력은 대한민국 건국을 위한 5·10선거에 적용할 선거법을 제정함에 있어서 친일부역자들의 피선거권은 물론 선거권까지 박탈하는 조항을 포함시켰다. 5·10선거법 제2조는 ① 일본정부로부터 작위를 받은 자, ② 일본제국의회의 의원이 되었던 자 등은 선거권이 없다고 규정했다. 이 선거법 제3조는 ① 일제시대에 판임관 이상의 경찰관 및 헌병보 또는 고등경찰의 직에 있었던 자 및 그 밀정행위를 한 자, ② 일제시대에 중추원의 부의장 고문 또는 참의가 되었던 자, ③ 일제시대에 부 또는 도의 자문 혹은 결의기관의 의원이 되었던 자, ④ 일제시대에 고등관으로서 3등급 이상의 지위에 있던 자 또는 훈 7등 이상을 받은 자(단 기술관 및 교육자는 제외함) 등은 피선거권이 없다고 규정했다.

1948년 3월 17일 남조선과도정부 법령 제175호로 공포된 국회의원 선거법의 제2조와 제3조는 친일파들의 선거권과 피선거권을 박탈하여 친일파들이 대한민국 건국에 참여하는 것을 원천 봉쇄했다.

어떤 사람들이 대한민국을 건국했다면 그는 적어도 건국을 완결시키는 조직인 국회에는 참여해야 한다. 적어도 국회에 참여할 기회는 부여받았어야 한다. 그러나 5·10선거법은 친일파들에게 국회의원에 피선될 수 있는 자격을 박탈한 것은 물론이고 고위직 친일파들에게는 국회의원을 선출하는 투표권도 박탈했다. 이런 조건에서 친일파가 대한민국을 건국했다고 말하는 것은 사람이 온 몸을 밧줄로 묶인 채 혼자 힘으로 강을 건넜다고 말하는 것과 같은 비현실적인 헛소리이다.

대한민국의 건국세력이 친일파라면 스스로 팔과 다리를 묶어서 건국을 위한 5·10선거에 참여하지 못하게 할 리가 없지 않은가.

대한민국이 이처럼 친일파 배제원칙을 준수하면서 건국되었기 때문에 대한민국 정부 초대내각이나 국회의 간부에는 명확히 친일파로 규정될 수 있는 인사가 단 한 명도 참여하지 못했다. 6·25전쟁 후에는 대한민국 정부에 친일파로 분류될 만한 인사들이 기용되었지만 적어도 대한민국 건국 초기에는 친일파는 국회와 정부에 참여하지 못했다.

　　대한민국 정부의 지도부가 아닌 실무 관료조직, 특히 경찰에 친일파에 속하는 인사들이 상당수 참여했던 것은 부인할 수 없는 사실이다. 그러나 이들은 어디까지나 '기능인'들로서 지도부의 명령에 따라서 행동하는 사람들이다. 지도부가 일본인이거나 친일파면 그들의 행동은 친일적인 것이 되고, 지도부가 민족주의운동가들이면 그들의 행동도 민족주의적인 것이 되는 것이다. 바람직한 점만을 생각한다면 그런 기능인 수준에서도 친일파를 가능한 광범하게 배제하는 것이 옳았다. 그러나 해방직후 남한의 혼란상과 대한민국 건국을 방해하는 좌익에 대항하여 동원할 수 있는 인적자원의 한계, 건국 직후 국가생존력 확보를 위한 공산세력 제압의 시급성 등을 고려한다면, 기능적 수준에서의 친일경력자들의 채용은 양해될 수 있는 사항이다.

제12장

대한민국의 건국일은?

강아지 생일파티 해주면서 국가의 생일을 모르는 대한민국 국민

이상하게도 우리나라 국민은 자기 나라의 생일, 곧 건국일을 잘 모른다. 2006년 8월 14일 조선일보는 대한민국의 건국에 관한 국민의식 조사결과를 보도했다. 이 보도에 따르면, '대한민국의 건국일이 언제인지 알고 있는가?'라는 질문에 대해 67.1%가 '모르고 있다'고 응답했고, 32.9%가 '알고 있다'고 응답했다. 2015년 8월 19일 여론조사회사인 리얼미터는 광복 70주년관련 국민의식조사 결과를 발표했다. 이 발표에 따르면, '대한민국 건국시점이 언제인가?'라는 질문에 대해 63.9%가 '3.1운동과 임시정부가 수립된 1919년'이라고 응답했고, 21.0%가 '남한 정부가 수립된 1948년', 15.1%가 '잘 모름'이라고 응답했다. 두 여론조사 결과를 종합하면, 이 나라 국민 중 67.1%~79.0%는 자기 나라의 건국일을 모르거나 틀리게 알고 있고, 21%만이 자기 나라의 건국일을 제대로 알고 있는 것으로 보인다.

대한민국이 건국된 지 70년이 다 되어간다. 건국의 역사가 70년이 되는 국가에서 조국의 건국일을 제대로 아는 국민이 전체의 21%밖에

안 되는 나라가 이 지구상에 대한민국 말고 또 있을까? 대한민국은 건국 후 68년이 넘도록 건국일이 언제인지를 국민에게 정확히 가르쳐 주지 못한 한심한 나라이다.

건국일이 언제인지를 모르고 있는 것은 일반 국민만이 아니다. 언론기관의 보도나 정치인의 발언을 듣게 되면, 이 나라 정치인들의 다수가 대한민국의 건국일을 정확히 알지 못하거나 건국일에 대해 무관심한 것으로 보인다. 건국일에 대해 관심을 보이는 정치인들은 더민주당과 정의당에 많다. 그런데 두 당 소속 정치인들의 다수는 옳지 않은 건국일을 주장하고 있다. 그들은 대한민국 임시정부가 수립된 1919년 4월 13일이 대한민국의 건국일이며 1948년 8월 15일을 대한민국 건국일이라고 주장하는 것은 반헌법적이라고 비난하기까지 한다. 문재인 대통령도 그들과 같은 입장을 취하고 있다. 자유한국당이나 바른당 소속 정치인들의 다수는 건국일이 언제인지에 대해 무관심한 태도를 보이고 있다.

행정부의 공무원들조차 건국일에 대해 잘 모르고 있으며, 심지어 건국일 문제에 직접 관련되어 있는 교육부, 문광부, 행자부의 고위공무원들마저 건국일에 관해 무관심하거나 정확한 지식을 가지고 있지 못하다. 뿐만 아니라, 그런 부처의 공무원들은 자기 부처나 산하기관에서 발행하는 도서들에 '건국'이나 '건국일'이라는 용어가 들어가는 것을 애써 막으려 한다. 자기 부처 관할 문서에 '건국'이나 '건국일'이라는 용어가 사용되어서 '정치적 시비의 대상이 되는 것'을 피하겠다는 보신제일주의 의식에서 비롯된 태도이다.

2015년 광복절 기념식에서 박근혜 당시 대통령은 기념사에서 우리나라가 1948년에 건국되었다고 말했고, 헌법재판소도 통합진보당 해산 판결을 내릴 때 대한민국이 1948년에 건국되었다는 점을 명시했다. 대통령과 헌재가 그렇게 분명히 말해주었는데도 이 나라 행정부의 장관들이나 공무원들이 건국일 문제에 대해 정확히 알지도 못하고 회피적 언동을 하고 있는 것은 과도한 무지요 과도한 보신제일주의라 아니할 수 없다.

시정의 보통사람이라도 자기의 생일을 모른다면, '근본을 알 수 없는 초라한 인간'으로 간주된다. 애완견을 기르는 사람들은 자기 집 강아지의 생일 파티까지 열어준다. 이런 판국에 올해로 대한민국이 건국된 지 69년이나 되는데 아직도 국민의 압도적 다수와 공무원들이 국가의 생일, 곧 건국일을 모르고 있으니 대한민국이라는 나라가 불쌍하다.

대한민국이 처음부터 건국일이 없는, '생일 없는 국가'였던 것은 아니다. 1949년 8월 15일 정부는 '대한민국 독립 1주년' 기념식을 거행했으며, 모든 정당과 신문들은 독립 1주년 기념 성명을 발표하고 기념 기사를 보도했다. 국가의 독립과 건국은 실천적 내용이 동일하기 때문에 1949년 8월 15일에 대한민국 독립 1주년이 되었다 함은 곧 그 1년 전인 1948년 8월 15일에 대한민국이 건국되었음을 의미한다. 실제로 1949년 독립 1주년 기념 기사를 보도하는 데 일부 신문은 '건국 1주년'이라는 용어를 사용했고, 정당들의 성명에서 대한민국 건립(설) 1주년이 되었다고 말하기도 했다.

이후 대한민국 정부와 국민과 정당들과 언론매체들은 해마다 8월 15일이면 대한민국 건국을 기념해왔다. 특히 1948년부터 10년, 20년, 30년 등 10년 마다가 되는 연도에는 정부는 건국 10주년, 건국 20주년, 건국 30주년 등의 기념행사를 거행해왔고, 언론매체들도 건국 10

주년, 건국 20주년, 건국 30주년 등의 특집보도를 해왔다. 1998년 건국 50주년까지는 그런 관행이 유지되었다. 정부와 국민과 정당들과 언론매체들이 모두 대한민국이 1948년에 독립=건국되었다는 점을 논란의 여지없는 사실로 수용해왔던 것이다.

이처럼 조야와 모든 국민이 인지했던 대한민국 독립=건국일(1948년 8월 15일)에 대한 정부의 언급이 2000년 무렵부터 공적 행사나 기록물에서 서서히 사라졌고, 마침내 2008년에는 광복회와 한국현대사학회 및 민주당(더민주당의 전신) 국회의원들이 합세하여 느닷없이 대한민국은 1948년에 건국된 것이 아니라 1919년에 건국되었다는 주장을 하고 나섰다. 그들은 이명박 정부에 대해 '건국 60주년'이란 용어를 사용하지 못하도록 압력을 가했고, 겁쟁이 이명박 정부는 이에 굴복했다. 이후 행정부 관리들은 '건국'이란 용어의 사용을 회피했으며, 언론매체들도 이에 동조했다. 이렇게 해서 대한민국은 건국일을 잃어버렸고, 오늘날 '생일 없는 인간'과 같은 초라한 국가로 전락했다.

대한민국의 건국일이 실종됨으로 해서, 각 급 학교 한국사 교과서에는 우리 민족의 과거 국가들의 건국에 대해서는 언급을 하고 있으면서 우리 민족의 현재 국가인 대한민국의 건국에 관해서는 언급하지 않고 있다. 그래서 압도적 다수의 국민이 대한민국의 건국일을 모르게 된 것이다.

고등학교 한국사 교과서의 오류가 많아 그것을 바로잡기 위한 국정교과서를 제작하는 업무를 수행하는 국사편찬위원회는 '건국일'과 '건국'이란 용어를 사용하면 시비가 많기 때문에 그 문제 또는 용어를 아예 사용하지 않을 방침임을 밝혔다. 잘못을 바로잡기 위해 국정교과서를 제작한다면, 대한민국 건국일이 어느 날인가에 대해서도 학리적으로 시비를 가려서 국정교과서에 서술하여 국민이 자기 나라의 건국일을 알게 해야 할 것인데, 그 반대로 방침을 세운 것이다. 공공적인 문제를 둘러싸고 시비가 일어나면 법리와 학리에 입각하여 그 시비를 가리기 위해 국가와 정부가 존재하는 것이다. 시비에 말려들기 귀찮다 하여 시비를 외면한다거나 시(是)와 비(非) 사이에서 타협적 중간을 취한다는 것은 국가나 정부의 존재이유를 외면한 짓이다.

국가, 건국, 건국일 등의 의미

대한민국의 생일 곧 건국일을 정확하게 알아내려면, 건국일이 무슨 날인지를 알아야 한다. 건국일이 무슨 날인지를 알려면 건국의 의미를 정확히 알아야 한다. 건국의 의미를 정확히 알려면 국가의 의미를 알아야 한다. 국가와 건국 및 건국일의 정확한 의미를 차례로 정리해 보자.

국가란 특정 영토를 배타적으로 지배하면서, 영토에 거주하는 주민들에게 특정한 공적 질서를 강제하는 포괄적인 정치 결사이다. 국가라는 정치적 결사가 수행하는 주요 기능은 △ 외부의 물리적 및 문화적 침략으로부터 영토와 국민을 보호하는 것, △ 영토 내부의 질서의 유지, △ 영토에 거주하는 주민들 사이의 갈등 규제, △ 영토 내에서의 정보 전파 및 규제, △ 외국과의 자주적 관계 형성 등이다.

어떤 정치적 결사가 국가로 되려면 국가의 기능을 수행할 수 있어야 하며, 국가로서의 기능을 수행하려면 그에 필요한 몇 가지 요소들을 반드시 갖추어야 한다. 그 몇 가지 요소들을 국가 구성의 필수적

요소들이라 한다. 국가로서의 기능 수행에 필수적인 요소를 가장 잘 정리한 국제적 문서는 '국가들의 권리와 의무에 관한 몬테비데오협약 (Montevideo Convention)'이다. 몬테비데오협약은 1933년 12월 우루과이의 수도 몬테비데오에서 남·북 아메리카 대륙에 위치한 국가들의 대표들이 모여서 아메리카 대륙에서 국가로 인정받을 수 있는 조건 및 국가들의 권리와 의무를 규정하기 위해 합의한 문서이다.

몬테비데오협약 제1조는 "국제법의 인격체로서의 국가는 다음의 자격요건을 갖추어야 한다. (a) 상주하는 인구, (b) 명확한 영토, (c) 정부, 그리고 (d) 다른 국가들과 관계를 맺을 수 있는 능력"이라고 규정하고 있다.

몬테비데오협약 제1조에서 말하는 상주하는 인구란 영토에 지속적으로 정주(定住)하는 인구를 뜻한다. 국적자로 등록한 인구를 뜻하기도 한다. 명확한 영토란 주변국들 또는 국제사회가 인정해주는 영토를 뜻한다. 외부의 개인이나 집단이 함부로 침입할 수 없는 지역이라는 인식을 가질 정도로 수비되는 영토를 뜻하기도 한다. 정부란 영토에 거주하는 인구에 대해 실효적 통제를 할 수 있는(혹은 영토에 거주하는 인구가 준수할 법률을 제정하고 집행할 수 있는) 정부를 뜻한다. 다른 국가들과 관계를 맺을 수 있는 능력이란 대외적 독립성과 자주외교권, 곧 제약받지 않는 주권을 뜻한다.

어떤 정치적 결사든지 이런 4개 요소를 갖추어야만 비로소 국가로서의 기능을 수행할 수 있기 때문에 그 4개 요소를 국가의 자격을 인정받을 수 있는 요건으로 규정한 것이다. 정치학이나 법학에서는 어떤 정치결사가 국가로 되기 위해 갖추어야 할 필수적인 요소 또는 국제사회에서 국가로 대우 받기 위해 갖추어야 할 조건을 설명함에 있어서 몬테비데오협약 제1조를 준거로 삼는다.

이에 비추어 볼 때, 국가를 건립한다는 것, 곧 건국은 국가 구성의 필수요소들을 완비한 정치결사를 구성하는 것을 말한다. 구체적으로 말하면, 상주하는 인구, 명확한 영토, 실효적 정부, 제약받지 않는 주권 등 국가 구성 필수 요소들을 갖춘 정치결사를 형성하는 것이 건국이다.

거의 모든 국가의 건국이 이루어지는 과정을 보면 대체로 두 가지 경로로 건국이 이루어진다. 하나의 경로는 영토와 인구를 갖춘 정부가 앞서 나타나고 그 정부가 대외적 주권을 확보하여 건국이 이루어지는 경로이다. 다른 경로는 일정한 영토 위에 주권을 확보한 정부가 수립되는 경로이다. 두 경로 모두에서 건국과정의 최후 조치는 주권의 확보, 곧 독립(선언만의 독립이 아닌, 물리적인 힘으로 주권을 방어할 수 있는 실질적 독립)이다. 그런 점에 비추어보면, 건국은 실천적 내용에 있어서는 독립과 동일하다. 건국 아닌 독립 없고, 독립 아닌 건국 없다.

건국을 건축물의 건설과정에 비유하여 설명할 수도 있고, '새로운 국가의 탄생'이란 용어에서 알 수 있는 바와 같이 인간의 출생에 비추어 생각할 수도 있다. 건축물의 건립이 건축물로서 갖추어야 할 필수 요소를 다 갖추는 건축물의 완공을 뜻하고, 인간의 출생이 인체의 구성요소를 완전히 갖춘 아기의 전신이 노출되는 것을 의미하는 것처럼, 건국이란 국가 구성의 필수요소들을 완전히 갖춘 정치결사가 형성되는 것을 뜻한다.

건국일이란 국가건립을 추진해온 특정 정치결사가 국가 구성의 4가지 필수 요소들을 완전히 갖추는 날을 뜻한다. 건물의 건축에 비유하자면 건물의 건축공사가 완결된 날이 건물의 건립일인 것처럼, 국가 구성의 4가지 필수 요소들이 완비되는 날이 건국일이다. 인간의 출생에 비유하면 아기의 전신이 노출된 날이 아기의 생일이듯이, 국가 구성의 필수 요소들을 완비한 정치결사가 출현하는 날이 건국일이다.

대한민국 건국 의지의 기원은 3·1운동에서 선언된 독립정신

대한민국의 건국은 의지 면에서는 1919년 3·1운동에서부터 시작되었다. 대한제국이 일본에 강제 병합 당한 후 국가 부재상태에 있던 한민족이 3·1독립운동을 통해 새로운 민족국가를 건립하려는 의지를 거족적으로 천명했다. 3·1운동은 독립선언서에서 "오등(吾等)은 자(玆)에 아(我) 조선(朝鮮)의 독립국(獨立國)임과 조선인(朝鮮人)의 자주민(自主民)임을 선언(宣言)하노라"라고 천명하였다.

거족적으로 천명된 독립국가 건립 의지를 실현하기 위해 해내외 각지에서 독립운동을 전개하던 독립운동 엘리트들이 독립국가 건립을 추진하기 위해 임시정부를 구성했다. 1919년 3월 17일 블라디보스토크에서 소련 영토에서 활동하던 독립운동가들이 대한국민의회정부를 수립했다. 4월 11일에는 상해에서 중국 영토에서 활동하던 독립운동가들이 대한민국임시정부를 수립했다. 4월 23일에는 한성(지금의 서울)에서 전국 13도 대표 24명이 모여서 국민대회를 개최하고 임시정부를 수립했다.

각지에서 별도로 임시정부를 조직한 독립운동가들은 3개의 임시정부를 하나로 통합하는 노력을 전개했다. 통합 노력의 결과 △ 13도 대표가 국민대회를 통해 선포한 한성 임시정부가 민족대표성을 가장 확실하게 보유하고 있다는 점을 인정하여, △ 상해 임시정부와 블라디보스토크 임시정부를 한성 임시정부로 흡수 통합하고, △ 정부의 명칭은 대한민국 임시정부로 하고 소재지는 상해로 하기로 합의되었다. 합의에 따라 1919년 9월 11일 3개 임시정부가 하나로 통합된 대한민국 임시정부가 수립되었다.

임시정부는 우리 민족의 독립 국가를 건립하기 위한 다양한 준비활동을 전개했다. 그러나 그러한 건국 준비활동들은 그 규모와 강도가 빈약한 탓으로 한반도를 압도적 군사력으로 강점하고 있던 일본을 축출하는 데 의미 있는 효과를 거두지 못했다.

태평양전쟁에서 연합군에 패배한 일본은 1945년 8월 15일 항복을 선언했고, 한반도는 소련과 미국에 의해 분할 점령되었다. 북한을 점령한 소련군은 말할 것도 없고 남한을 점령한 미군도 임시정부를 실질적인 임시정부로 인정해주지 않았다. 이로써 민족의 새로운 독립국가를 건국하기 위해 준비작업을 해온 임시정부의 건국 노력은 종식되었다. 임시정부를 구성했던 독립운동가들은 개인 자격으로 귀국하여 건국 노력을 전개했다.

건국–독립을 놓고 3개의 그룹이 경쟁·대결했다. 우익진영은 자유민주주의 통일국가를 건국하려 했다. 좌익진영은 공산주의 통일국가를 건국하려 했다. 중간파는 좌우합작 정부를 건국하려 했다. 임시정부 구성원 중 우파는 우익진영과 함께 했고, 좌파는 공산세력과 함께 했으며, 일부는 좌우합작운동에 참여했다.

일제가 물러간 한반도에서의 건국 노력의 초점은 정부 수립으로 모아졌다. 비록 외국군대의 점령 하에 있기는 하지만 영토와 인구가 확보된 조건에서 국가를 건립하는 것이었기 때문이다. 우리 민족의 손으로 정부를 구성하고 그 정부가 외국점령군으로부터 통치권을 인수하면 건국이 이루어지는 것이었다.

좌익진영의 건국 노력은 신속하게 진행되었다. 북한을 점령 중인 소련군이 지침을 제공하고 그 지침을 이행하는 좌익진영의 노력을 적극적으로 지원했기 때문이다. 좌익진영은 북한에 먼저 공산정권을 수립하고 그것을 기지로 삼아 남한의 공산화를 추진한다는 전략(이른바 '북조선민주기지론')에 따라 건국 노력을 전개했다. 좌익진영은 1946년 2월 북조선임시인민위원회라는 명칭의 공산화추진 단독 임시정부를 구성하고, 1946년 11월 북조선 도·시·군 인민위원 선거를 실시했다. 인민위원들이 1947년 2월 북조선인민회의를 구성하고, 곧이어 인민회의는 북조선인민위원회라는 북한의 단독 정식 행정부를 설립했다.

우익진영의 건국 노력은 지지부진했다. 우익진영은 3·1운동의 독립정신을 계승하여 모스크바협정에서 천명된 신탁통치를 반대하고 조속한 독립(건국)을 실현하려 했다. 우익진영의 건국노력은 미국의 견제로 인해 제대로 추진되지 못했다. 당시 미국은 소련과 합의 하에 한반도 문제를 해결한다는 정책에 따라 우익진영의 조속 건국 노력을 견제했다.

제1차 미소공동위원회가 결렬되고, 북한에서 임시인민위원회가 토지개혁 등 공산화로 가기 위한 사회변혁을 급속하게 추진하던 1946년 6월 이승만은 미국과 소련의 회담 진전을 무작정 기다릴 것이 아니라 남한지역에 과도정부 또는 임시위원회 같은 것을 만들어 북한에서 소련군이 철수하도록 외교적 노력을 전개하여 통일을 달성하자고 제안했다. 소위 정읍발언이라는 것이다.

이승만의 정읍발언이 보도되자 좌익세력이 단독정부 구상이라며 정읍발언을 극렬하게 비판하고 나섰다. 우익진영에 속하는 임정 우파 중 김구와 그의 추종자들도 정읍발언을 비판했다. 이들은 북한에서 이미 북조선임시인민위원회라는 단독 임시정부가 설립되어 공산화로 가기 위한 사회변혁을 급속히 추진하고 있는 점에 대해서는 전혀 비판을 가하지 않고, 북조선 임시인민위원회와 유사한 성격의 임시정부 또는 과도정부를 남한에서도 설립하자는 이승만의 정읍발언에 대해서는 맹렬히 비판했다. 좌익세력이 그런 불균형한 태도를 취한 것은 그들의 사상에 비추어볼 때 이해가 가는 일이다. 그러나 김구와 그의 추종자들이 그와 같이 불균형한 태도를 취한 것은 이해하기 어려운 일이다.

대한민국의 생일(건국일)은 1948년 8월 15일

1947년 가을, 한국의 통일과 독립문제를 다루던 미소공동위원회는 결렬되고, 미국은 한국문제를 유엔총회의 안건으로 상정했다. 유엔총회는 '남북한 전역에서 유엔감시하의 자유총선을 실시하여 한반도 통일정부를 구성하라'고 결의했다. 소련과 북한정권이 유엔총회결의를 거부함에 따라, 국내외 여론은 남한에서만이라도 총선을 조속히 실시하여 건국하도록 하자는 쪽으로 기울어졌다. 유엔소총회는 1948년 2월 26일 한국문제에 대해 '총선이 가능한 지역(남한지역)에서 유엔총회의 한국문제 결의를 이행하라'고 결의했다. 그에 따라 대한민국 건국을 위한 남한 총선이 이루어지게 되었다.

1948년 5월 10일 총선이 실시되어 건국을 위한 첫 번째 제도적 조치가 취해졌다. 5·10선거에서 당선된 국회의원들은 5월 31일 국회를 개원했다. 국회는 7월 17일 국호를 '대한민국'으로 하는 새로운 국가 건립의 법적 바탕이 되는 헌법을 제정했다. 헌법에 따라 7월 24일 대통령선거를 실시하여 이승만을 대통령으로 선출했다. 이승만은 곧 행정부를 구성하고 사법부 수장인 대법원장을 임명했다. 이로써 입법·행정·사법의 3부를 갖춘 대한민국의 정부가 조직되었다.

대한민국 정부는 1948년 8월 15일 '대한민국 정부 수립 국민축하식'을 거행하고 대한민국 정부가 수립되었음을 선언했다. 그리고 미군정과의 사전 합의에 따라 이날 밤 12시를 기해 미군정으로부터 통치권, 곧 주권을 인수했다. 이로써 국가 구성의 4개 필수요소인 영토·국민·정부·주권을 완비한 대한민국이란 독립국가가 탄생된 것이다. 따라서 대한민국의 생일, 곧 건국일은 1948년 8월 15일인 것이다.

이처럼 대한민국이 1948년 8월 15일에 건국되었음을 객관적인 사실들이 입증하고 있음에도 불구하고, 그것을 부정하는 사람들이 있다. 그중 한 부류는 1948년 8월 15일에 '대한민국 정부 수립'만 기념·선포되었을 뿐, '대한민국 건국 또는 독립'이 기념·선포되지 않았으므로, 그날 대한민국 정부만 수립되었고 대한민국은 건국되지 않았다고 주장하는 사람들이다. 다른 부류는 대한민국이 1919년에 건국되었기 때문에 1948년 8월 15일은 대한민국 건국일이 아니라고 주장하는 사람들이다.

대한민국 건국 또는 독립이 기념·선포되지 않았기 때문에 대한민국 건국은 1948년에 건국되지 않았다고 주장하는 것은 모든 사건은 그것이 발생하는 날 반드시 기념되거나 선포된다고 주장하는 것과 동일한 오류를 범하고 있다. 사건이 발생하고도 기념하거나 선포하지 않은 사건들은 너무도 많다.

필자는 10대 후반과 20대 초반에 냉소주의에 물들어 형식을 경시했다. 그래서 고등학교와 대학의 졸업식에 참석하지 않았다. 또 졸업했다는 사실도 선포하지 않았다. 그러면 필자는 고등학교나 대학을 졸업하지 않았는가? 졸업식에 불참하고 졸업을 선포하지도 않았지만 졸업에 필요한 조건들을 다 갖추었기 때문에 졸업한 것이다. 그렇기 때문에 필자는 모교인 순천고등학교나 서울대학교에서 필요할 때마다 졸업증명서를 발급받았다.

대한민국의 건국도 마찬가지다. 어떤 연유로 해서 건국기념식을 거행해야 할 날에 건국기념식을 거행하지 않았고, 건국 사실을 선포하지 않았더라도 객관적으로 건국에 필요한 요소들을 다 갖추었으면 그것이 바로 건국이요 그날이 바로 건국일인 것이다.

한편, 면밀히 따지고 보면, 대한민국의 건국이 완전히 선포·기념되지 않은 것은 아니다. 대한민국 정부와 국민은 1949년 8월 15일 '대한민국 독립1주년 기념식'을 거행했다. 국가에 있어서는 독립과 건국의 실천적 내용이 동일하다. 대한민국 정부와 국민이 1949년 8월 15일에 독립 1주년 기념식을 거행했다는 것은 그 1년 전에 대한민국이 건국되었음을 선포하고 기념한 것을 의미한다.

1919년의 대한민국 임시정부 수립이 대한민국의 건국이라고 주장하는 사람들은 한 마디로 말해서 '국가건립을 추진하는 단체'와 '국가'를 구별하지 못하는 저능아들이다. 대한민국 임시정부가 자기의 명칭으로 '대한민국'이 아닌 '대한민국 임시정부'를 사용한 것 그 자체가 대한민국 임시정부는 국가가 아니며, 그것의 결성은 건국이 아니라는 점을 명백히 해주고 있다.

제13장

여수·순천반란

좌익의 국군 침투

1945년 8월 한반도가 일본의 식민지 지배로부터 해방된 후 북한주둔 소련군과 남북한의 공산주의세력은 한반도 전체를 공산화하기 위해 단계적으로 다양한 노력을 전개했다. 첫 번째 노력은 북한지역을 한반도 공산화를 위한 기지로 만드는 것이었다. 그들은 북한을 한반도 공산화의 기지로 만들기 위해 1946년 2월 북조선임시인민위원회라는 단독 공산정권을 수립하고 토지개혁 등 공산화 조치를 신속하고도 강력하게 집행했다. 두 번째 노력은 정치공작을 통해 남한에 단독 민주정권이 수립되는 것을 저지하는 것이었다. 세 번째 노력은 남한에 수립된 대한민국 정부를 군사반란으로 전복하는 것이었다.

공산세력은 대한민국이 건국된 후 군사반란으로 대한민국을 붕괴시키기 위한 준비를 남한이 미군정의 지배하에 있던 1946년 국방경비대(국군의 모태 조직)를 조직할 때부터 시작했다. 군사반란을 위한 우선적 준비작업은 좌익분자들을 군대 조직 내에 대거 침투시켜 놓는 것이었다. 남한의 공산당인 남조선노동당의 중앙지도부는 좌익분자들을 장교로 침투시키는 공작을 실행했고, 지방의 노동당 조직은 좌익분자들을 사병으로 침투시키는 공작을 실행했다. 국군은 여순반란사건 전후 국군에 침투한 좌익분자들을 축출하는 숙군(肅軍)작업을 전개했는바, 수사를 통해 축출된 인원(4,749명)이 국군 총인원의 5%에 달했다. 수사망을 피해 집단월북, 탈영한 인원(5,568명)까지 포함하면 국군 총인원의 10%가 숙군과정을 통해 제거되었다. 숙군작업에도 불구하고 위장을 잘했거나 인맥이 좋은 좌익분자들은 축출되지 않았을 것이다. 이러한 사실들은 국군에 침투한 좌익분자들의 규모가 매우 컸을 것임을 짐작할 수 있게 해준다.

좌익세력의 집요한 방해를 극복하고 1948년 8월 대한민국이 건국되자 군에 침투한 좌익분자(남로당 프락치)들은 군사반란을 일으켜 대한민국을 와해시키려 했다. 대한민국 건국 직후인 1948년 10월부터 여수 주둔 제14연대 반란, 대구 주둔 제6연대 반란, 마산 주둔 제15연대 반란, 광주 주둔 제4연대 반란 등 군사반란이 연달아 발생했다. 대한민국 건국 직후 발생한 군사반란 중 제일 먼저 일어나고, 가장 규모가 큰 반란은 여수 주둔 제14연대의 반란이었다.

1948년 5월 초에 창설된 제14연대는 광주 주둔 제4연대에서 가지쳐 나온 부대이다. 4연대에서 차출된 1개 대대가 기간병력이 되어 14연대 창설 작업을 진행했다. 4연대의 장교와 사병들 중엔 좌익분자들이 많이 침투해 있었으므로 14연대 창설 요원으로 차출된 장교와 사병 중에도 자연히 좌익분자들이 많이 섞여 있게 되었다.

14연대 창설을 앞두고 남로당 전라남도 당위원회 군사부는 14연대의 관할구역으로 예정된 전남 동부지역의 여수, 순천, 광양, 고흥, 구례, 곡성, 보성 등의 시·군 당위원회에 신설되는 14연대에 사병으로 침투시킬 청년들을 추천하라고 지시했다. 전남도당은 전남 동부지역 시·군 당에서 추천받은 청년들의 명단이 올라오면 그것을 정리하여 14연대 창설 업무에 참여하고 있는 좌익분자들에게 보냈다. 14연대 창설에 참여하고 있는 좌익분자들은 이미 포섭해놓은 인사 담당 요원에게 그 명단에 들어 있는 청년들을 우선적으로 선발해주도록 부탁했다. 국군에 입대하려는 청년들이 별로 많지 않았기 때문에 남로당이 추천한 청년들은 어렵지 않게 14연대 사병이 될 수 있었다. 그 결과 14연대에는 좌익분자들이 매우 많아져서 사병의 거의 절반이 남로당 전남도당에서 추천한 청년들로 채워졌다는 풍문이 나돌 정도였다.

이러한 14연대에 1948년 10월 15일 육군 총사령부로부터 제주도에 파견할 1개 대대를 편성하여 대기시키라는 명령이 하달되었다. 14연대에 이러한 명령이 내려지게 된 것은 1948년 4월 3일부터 제주도에서 폭동 → 반란을 일으키고 있는 제주도 반란군이 1948년 10월부터 반란 활동을 강화했기 때문이었다. 제주도 반란사태가 악화되자 대한민국 정부도 제주도 반란을 진압하는 노력을 강화한 것이다. 정부는 우선 제주도에 전투사령부를 설치하고 제주도에 1개 연대 병력을 추가 파견하기로 결정했다. 제주도에 파견될 1개 연대는 부산의 제5연대, 대구의 제6연대, 여수의 제14연대 등에서 각 1개 대대씩 차출하여 구성하기로 했다.

14연대의 반란

1948년 10월 19일 아침 국군 사령부는 제14연대에 제주도 파견을 위해 이미 선발해놓은 1개 대대를 그날 밤 10시를 기해 제주도로 파견하라는 명령을 내렸다. 14연대에 침투해 있던 좌익 사병들은 국군 사령부로부터 제주도행 병력 파견 명령이 14연대에 하달된 것을 탐지하고, 제주도 파견 병력이 출발하기 직전에 반란을 일으키기로 계획했다. 지창수 상사 등 14연대에 침투한 남로당 프락치들은 19일 밤 제주도로 파견될 병력이 연병장에 집결하자 제주도로 파견되는 것을 거부하는 반란을 일으키자고 선동했다. 연병장에 모인 제주도 파견 병력을 향해, 반란 주동자 지창수는 다음과 같은 내용이 담긴 반란 선동연설을 했다.

"지금 경찰이 우리를 습격하려고 몰려오고 있다. 실탄을 최대한 많이 나눠가지고 응전 태세를 갖추자. 동족을 살상하기 위한 제주도 파병에는 절대 반대하자. 경찰을 타도하고 남북통일의 염원을 이루기 위해 궐기하자. 지금 북조선 인민군이 삼팔선을 돌파하고 서울을 향해 내려오고 있다. 우리는 지금부터 인민해방군이 된다. 조국 통일을 위해 미국 괴뢰들을 쳐부수자. 제국주의 앞잡이인 장교들도 모두 죽이자."

지창수의 반란 선동에 좌익 사병들은 적극 호응하고 나섰다. 좌익 사병들은 반란에 반대하는 발언을 하는 장교와 사병들을 즉석에서 사살했다. 나머지 비좌익 장교와 사병들은 저항하면 죽는다는 두려움에 젖어 반란에 소극적으로 참여했다. 지창수는 14연대를 '인민해방군'이라 칭하고 자기가 그 해방군을 지휘한다고 선언했다.

지창수가 지휘하는 반란군의 규모는 2,000명 정도였다. 2,500명 정도인 14연대 총병력 가운데 2개 중대 병력이 순천에 파견되어 있었고, 일부 사병이 휴가 등 병영이탈 상태에 있었기 때문이다. 14연대의 지휘권을 장악한 지창수와 좌익 병사들은 20일 새벽 1시 14연대를 이끌고 여수 서쪽 외곽 신월리에 위치한 병영을 출발하여 여수 점령에 나섰다. 반란군이 된 14연대가 병영을 나서자 남로당 여수군당의 간부 20여 명이 반란군에 합류하였고, 여수 읍내에 들어서자 여수 거주 남로당원 및 좌익단체 구성원 600여 명이 반란군에 합세했다.

반란군의 제일 공격목표는 여수 중심부에 위치한 경찰서였다. 여수 경찰서 방어는 약 200명의 경찰관들이 맡고 있었다. 반란군의 10분의 1도 안되는 병력이었고, 무기도 반란군의 무기에 비해 성능이 떨어졌다. 한 시간도 채 되지 않은 총격전 끝에 경찰들이 항복했다. 반란군은 경찰서를 점령하여, 경찰서장을 체포했고, 나머지 경찰관들도 닥치는 대로 사살하거나 체포했다. 방어 경찰관 중 사살·체포를 피하여 도주한 인원은 겨우 20명이 채 안되었다.

경찰서를 유린하는데 성공한 반란군은 '인민공화국 만세', '인민해방군 만세'를 외치며 시가지를 휩쓸고 다니면서 군청을 비롯한 주요 기관들을 점령했다. 주요 기관들의 점거에는 민간인 좌익분자 수백 명이 동참했다. 반란군과 행동을 같이 하는 민간인 좌익분자들 가운데는 노동자와 농어민뿐만 아니라 학교 교사와 학생들도 많았다. 교원노동조합협의회와 민주학생동맹의 소속원들이었다. 반란군과 민간인 좌익분자들은 주요 기관들을 점거하면 북한의 인민공화국기를 게양했다. 반란군은 20일 아침 9시 경에 여수를 완전 장악했다. 하루 밤 사이에 세상이 바뀐 것이다.

반란군은 주요 기관 점거와 병행하여 도주 경찰관과 우익인사들을 색출했다. 색출작업은 반란에 참여한 민간인 좌익분자들이 주도했다. 그들은 14연대가 제공한 총을 메고 집집마다 찾아다니면서 숨어있는 경찰관과 우익인사들을 체포하거나 살해하고 가옥들을 불 질렀다.

여수를 장악한 14연대는 여수 거주 좌익분자들로 하여금 인민위원회를 조직하여 행정을 맡도록 하고, 좌익 청년들을 무장시켜 보안대를 조직하여 도피한 경찰관과 우익인사들을 색출·체포하고 질서를 유지하는 임무를 맡겼다.

반란군의 순천 점령과 반란지역 확대

여수 장악에 성공한 14연대는 병력을 나누어 여수 북방 약 40km 지점에 위치한 교통요지 순천으로 진격했다. 14연대의 3개 대대 중 1개 대대 병력만 여수에 잔류시키고 나머지 2개 대대 병력은 20일 아침 8시 경에 기차 편으로 여수역을 출발했다.

14연대가 기차를 타고 순천으로 진격하는 동안 순천에서는 그에 대처하기 위한 기관장 및 유지 회의가 열리고 있었다. 회의 참여자들은 14연대의 봉기를 그 동안 있어온 경찰과 군대 간의 갈등의 연장선상에서 군대의 경찰에 대한 공격 규모가 확대된 사건으로 오판했다. 그러한 오판을 토대로 회의 참여자들이 마련한 대책은 '술과 안주로 14연대 장병들을 달래서 여수로 돌려보내자'는 것이었다.

반란군은 오전 10시 경 순천역에 도착했다. 순천에 파견되어 있던 14연대 소속 2개 중대 병력이 반란군에 즉각 합류했다. 순천에 파견되어 있던 2개 중대는 좌익장교 홍순석이 지휘하고 있었기 때문에 아무런 저항없이 반란군에 합류했다. 이들의 합류로 반란군의 사기가 크게 고조되었다.

사기가 고조된 반란군은 곧 바로 순천 중심가 점령 작전에 돌입했다. 순천역과 순천 중심가 사이에는 최대 폭이 200m 정도 되는 동천강이 흐르고 있다. 순천역은 동천강의 동쪽에 위치하고, 순천경찰서를 비롯한 관공서들이 밀집한 순천 중심가는 동천강의 서쪽에 위치했다. 반란군은 동천강에서 저항에 부딪쳤다. 14연대의 봉기가 반란이라는 점을 뒤늦게 파악한 순천경찰서 소속 경찰 병력이 동천강을 건너는 다리인 순천교(장대다리)의 서쪽 끝에 포진하여 반란군이 순천교를 건너지 못하도록 사격을 가했다. 전투는 치열했으나 경찰은 오래 버티지 못했다.

순천을 방어하는 경찰 병력이 오래 버티지 못한 것은 반란군의 병력과 무기가 경찰의 병력과 무기보다 압도적으로 우월한데 더하여, 반란군을 저지할 목적으로 광주 4연대에서 밤새 급파된 1개 중대 병력이 반란군에 합세하였기 때문이었다. 14연대는 제주도에 가서 반란군을 상대로 전투를 잘하도록 하기 위해 성능이 좋은 무기를 지급받았다. 14연대는 제주도에 가서 반란군을 소탕하는데 사용하라고 지급받은 성능 좋은 무기를 여수·순천 일대에서 반란을 일으키는데 사용한 것이다. 4연대에서 파견된 1개 중대의 반란 합류는 서쪽 방면으로부터 순천 방어경찰의 배후가 붕괴되는 것을 의미했다.

반란군은 20일 오후 3시 경 순천시 중심가를 완전 점령했다. 순천시를 점령한 반란군은 순천시와 승주군에 거주하던 좌익분자들과 협력하여 인민위원회를 구성하여 행정을 장악했다. 또한 좌익 청년과 학생들을 중심으로 보안대를 구성하여 도주 경찰과 우익 인사들을 색출·처형하고 질서를 유지하는 임무를 맡겼다.

순천을 점령한 반란군은 20일 저녁 병력을 3개 부대로 재편하여 3

개 방면으로 진격했다. 1000여 명으로 구성된 반란군 본대는 구례와 남원을 점령하기 위해 북쪽 방면으로 진격했고, 1개 부대는 광양과 하동을 점령하기 위해 동쪽 방면으로 진격했고, 나머지 1개 부대는 벌교, 보성, 고흥을 점령하기 위해 서쪽 방면으로 진격했다. 반란군의 북쪽 방면 진격은 순천 북방 약 10km 지점에 위치한 학구에서 국군에 저지당했다. 반란군의 동쪽 방면 진격과 서쪽 방면 진격은 성과를 거두었다. 22일까지 전라남도의 동부 지역(여수, 순천, 광양, 벌교, 보성, 고흥 등)이 반란군에 점령되었다.

반란군의 진격은 단시간 내에 광범한 지역에서 성과를 거두었는데, 그 이유는 무엇일까? △ 좌익세력의 국군에 대한 대규모 침투, △ 주민들의 국가의식 미약, △ 토착 좌익세력의 적극적 호응, △ 반란군이 점령지역의 행정과 치안유지를 토착 좌익세력에게 맡기고 진격과 전투에 집중한 점, △ 반란군과 토착 좌익세력이 "인민군(북한군)이 38선을 넘어와 서울까지 왔다", "이승만이 일본으로 도망갔다" 등의 유언비어를 유포하여 좌경인구의 사기를 높이고 우경인구의 사기를 저하시킨 점, △ 북한에서 실시된 토지개혁이 남한에서는 이루어지지 않는 것에 대한 농민들의 불만, △ 반란군의 사병들이 진격대상 지역 출신들이어서 해당지역의 지리와 정세에 밝아 공격을 효율적으로 전개할 수 있었던 점 등을 들 수 있다.

국군의 반란 진압

14연대 반란에 대한 국군의 첫 대응은 광주 주둔 4연대의 진압 병력 파견이었다. 연대장이 출장 중이어서 연대 지휘를 맡은 부연대장 박기병 소령은 20일 새벽 1시 반 경 14연대의 반란 사실을 인지하고, 4연대에서 1개 중대를 선발하여 순천 북방에 위치한 학구로 파견했다. 학구는 반란군이 북쪽 방면으로 진격할 경우 반란군의 북상을 저지할 수 있는 전략적 요충지였다.

20일 새벽 4시 광주를 출발한 4연대 소속 중대는 학구로 이동하던 도중에 좌익 병사들의 반란에 부딪쳤다. 반란을 일으킨 좌익 병사들은 반란에 반대하는 중대장 및 사병들을 사살하고 중대를 장악했다. 반란군을 진압하기 위해 출동한 병력이 진군 도중에 반란군으로 돌변한 것이다. 반란군으로 돌변한 4연대 소속 중대는 학구로 가지 않고 반란군의 서쪽 방면 진격로인 보성과 벌교를 거쳐 오전 10시 경 순천으로 들어가 반란군 주력부대인 14연대에 합류했다. 학구로 행하던 4연대 소속 중대가 반란군으로 돌변한 정보를 접수한 4연대 부연대장은 4연대에서 1개 대대를 선발하여 학구로 갔다. 학구에는 이미 약 200명의 경찰이 출동해 있어서 군경 합동으로 반란군의 북쪽 방면 진격을 저지했다. 20일 오후에는 이리(현 익산) 주둔 3연대의 2개 대대, 군산 주둔 12연대의 2개 대대가 기차 편으로 학구에 도착하여 진압군의 병력이 증강되었다. 국군의 병력이 증강되자 국군은 반란군의 진격을 저지하는 수세적 입장에서 반란군에 점령된 지역을 탈환하여 반란을 진압하는 공세적 입장으로 전환했다.

국군의 반란 진압 작전의 첫 번째 대상은 순천이었다. 국군의 순천 탈환작전은 21일 아침부터 시작되었다. 학구에서 대치 중이던 반란군 주력부대는 수세에 몰려 그날 오후부터 순천으로 후퇴했다.

14연대 소속 반란군 주력부대는 자기들의 패색이 짙어지자 21일 밤 순천을 탈출했다. 반란의 주력부대는 백운산으로 들어가기 위해 동쪽에 있는 광양으로 이동했다. 순천에 남은 나머지 반란군 병사들은 국군에 항복하거나 흩어져 도망갔다. 반란군이 빠져나간 후 순천시내는 보안대를 비롯한 무장 토착 좌익분자들이 통제했다.

국군은 22일 아침부터 순천 시내의 반란세력 소탕전을 전개했다. 반란군 주력이 빠져나간 다음 순천을 방어하는 토착 좌익분자들은 국군의 상대가 되지 못했다. 국군은 이날 오후 순천시내의 반란분자 소탕전을 완료했다. 국군이 탈환한 순천의 길거리에는 반란군과 토착 좌익분자들에게 학살당한 시체들과 진압군에 저항하다가 사살된 좌익분자들의 시체가 즐비했다.

반란이 진압된 후 순천에서 가족을 찾아 시신들 사이를 살펴보고 있는 유족의 모습

순천을 탈환한 국군은 곧장 반란군이 점령중인 남쪽 방면의 여수, 동쪽 방면의 광양, 서쪽 방면의 벌교, 보성, 고흥에 대한 탈환작전을

전개했다. 광양은 23일에 탈환했고, 벌교와 보성은 24일에, 고흥은 25일에 각각 탈환했다.

다른 지역과는 달리 여수에 대한 탈환작전은 쉽게 성과를 거두지 못했다. 국군은 23일 아침부터 여수 탈환작전을 시작했으나 반란군의 강력한 저항에 부딪쳐 여수 탈환에 실패했다. 국군은 병력과 화력을 보강하여 24일 오후 여수에 대한 2차 공격을 시작했다. 2차 공격도 여수 북방 약 4km에 위치한 미평 협곡에서 반란군의 기습을 받아 실패했다. 국군은 지휘관의 부상과 사상자가 200명에 달하는 큰 손실을 입고 후퇴했다.

여수를 점령하고 있던 14연대 잔류병력은 24일 밤 2차 여수 탈환작전에서 참패한 충격으로 인해 국군의 포위망이 흐트러진 틈을 이용하여 여수를 탈출, 광양 → 백운산 방면으로 이동했다. 14연대 소속 반란군이 여수를 탈출하자 여수의 방어는 무장한 토착 좌익분자들과 그에 동조하는 청년과 학생들에 맡겨졌다. 여수 시가전에 동원된 민간 전투요원 중에는 중학교 여학생들도 있었다. 반란의 진원지 여수를 방어하는데 동원된 민간인 인원수는 2,000명 내외였고 무장도 빈약했으나 그들의 전투의지는 매우 강했다.

국군은 병력과 화력을 보강한 후 25일 오전 여수를 탈환하기 위한 세 번째 공격에 나섰다. 14연대 잔류병력이 탈출했음에도 불구하고 토착 좌익세력이 죽기를 각오하고 악착같이 저항했다. 그 바람에 국군은 여수 시내까지 진출했으나 시가지를 완전 점령하지 못하고 외곽지대로 후퇴했다. 국군은 병력과 화력을 더욱 보강하여 26일 오후 여수를 탈환하기 위한 네 번째 공격에 나섰다. 국군은 외곽 고지대에서의 박격포 포격과 해안경비대의 경비정을 이용한 해상으로부터의 박격포 포격으로 여수 시내의 반란세력을 압박하면서 치열한 시가전을 전개한 끝에 공격 개시 약 24시간만인 27일 오후 3시 경 여수를 완전 탈환하는 데 성공했다.

이로써 지도상으로는 여수·순천 반란이 완전 진압되었다. 그러나 병력상으로는 반란을 일으킨 14연대 반란군이 진압되지 않았다. 14연대 병력은 광양을 거쳐 백운산으로 숨어들었다가 산악 게릴라전에 보다 유리한 지리산으로 집결했다. 지리산에 집결한 반란분자 중에는 14연대 병력을 따라간 민간 좌익분자들도 있었다. 지리산 속으로 들어 간 반란군은 국군의 소탕전에 시달리며 병력이 급격히 감소되다가 1949년 5월 사실상 궤멸되었다. 조정래의 소설 『태백산맥』은 지리산에 들어간 민간 좌익분자들의 활동을 미화하여 서술한 것이다.

여수와 순천에서 자행된 학살

반란군은 20일 오후 3시 여수의 좌익인사들과 일반 시민들을 동원하여 여수읍 중앙동 광장에서 인민대회를 개최하고, 행정기관으로 인민위원회를 구성했다. 인민위원회는 '혁명과업 6개항'을 발표했다. 혁명과업의 내용은 △ 북한정권에 대한 충성, △ 남한정권 분쇄, △ 북한식 토지개혁 실시, △ 기존 법령 철폐, △ 경찰관과 우익인사 처단 등이다. 인민위원회는 여수 거주 좌익 청년과 학생들을 끌어모아 보안대와 인민의용군을 조직하여 치안을 맡겼다. 도주 경찰관들과 우익인사들을 수색 처단하는 것과 일반 시민들을 반란 집회와 시위에 강제동원하는 것이 이들의 주요 업무였다.

반란군과 토착 좌익세력이 우선적으로 진행한 일은 도주 경찰관과 우익인사들(우익 정당과 단체의 구성원들 및 부자들)을 수색·체포·처형하는 것이었다. 그들은 도주 경찰관과 우익인사들을 '반역자'로 호칭하면서 국군이 여수를 탈환하기 직전까지 '반역자 숙청'을 계속했다. 보안대와 의용군의 대원들은 20일 밤부터 집집마다 찾아다니면서 '반역자'들을 체포했다. 체포된 인사들 가운데 경찰 간부나 관청의 고위직 인사, 그리고 저명한 우익인사들은 인민재판에 회부하여 처형했다. 처형을 면한 사람들은 경찰서 유치장과 방공호에 수용되었으나, 그들 역시 며칠 못가서 처형되었다. 반란군과 토착 좌익분자들은 국군이 여수를 탈환하기 직전 유치장과 방공호에 감금해둔 사람들을 집단학살해 버렸다. 반란군이 통치하던 9일 동안에 여수에서 반란군에 살해된 인원은 약 1,000여 명에 달한 것으로 추정되었다.

반란군은 순천에서도 비슷한 조치를 취했다. 토착 좌익분자들로 인민위원회를 구성하게 하고, 순천·승주 지역에 거주하는 좌익 청년과 학생 및 교사들을 경찰서에서 탈취한 소총으로 무장시킨 다음 시내에 숨어있는 도주 경찰관 및 우익 인사들을 체포하도록 했다. 경찰관과 우익인사들에 대한 수색·체포활동은 순천 외곽의 농촌지역에서도 자행되었다. 체포된 경찰관과 우익인사들은 즉석에서 사살하거나 인민재판에 회부하여 처형했다. 인민재판에서의 사형 집행은 토착 좌익분자들, 그중에서도 청년과 학생들에게 맡겼다. 반란군이 순천을 점령한 기간은 단지 3일에 불과했는데 그 3일 동안에 순천에서 반란군에게 학살당한 인원수는 900여 명에 달하는 것으로 추정되었다.

반란군은 특히 경찰관들을 잔인하게 학살했다. 여수 경찰서장은 군중 앞에서 공개처형했다. 순천 경찰서장은 더욱 잔인한 방법으로 살해했다. 변복하고 도주하던 순천 경찰서장을 체포한 반도들은 서장을 오랏줄로 묶어 시내를 끌고 다니며 "나는 순천시민들의 고혈을 빨아먹던 경찰서장이오"라고 외치도록 했다. 서장이 외치기를 중단하면 좌익 청년과 학생들이 죽창으로 서장을 찔러대며 외치기를 계속하도록 했다. 서장이 의식을 잃자 사람 통행량이 가장 많은 가로의 전신주에 매달아 놓고 총살했다.

반란군은 광양, 벌교, 보성, 고흥 등에서도 순천과 여수에서보다는 덜하지만 많은 수의 인원을 학살했다.

반란지역이 국군에 탈환된 후 토착 반란분자들에 대한 처벌이 행해졌다. 정작 반란을 주도한 14연대 군인들은 지리산으로 도피하여 반란지역에서 자취를 감추어버려 처벌하려 해도 처벌할 수가 없었다. 국군 탈환 지역에서의 반란분자 체포와 처벌은 국군이 집행했다. 경찰관과 우익인사들이 반란군에 너무나 많이 살해되었기 때문에 국군 대신에 그런 임무를 수행할 민간인력이 없었다.

국군은 반란 가담 좌익분자들을 체포하기 위해 가가호호 방문하는 야만적인 일은 하지 않았다. 국군은 거주민들의 제보에 의존하여 부역자들을 체포했다. 제보를 받는 방법 중에는 주민들을 학교운동장에 모아놓고 신분이 우량한 주민들로 하여금 군중 속에 있는 부역자들을 지목하도록 하는 방법도 있었다. 좌경 저술가들은 마치 국군이 이 방법에 의존해서만 좌익분자를 식별 체포했던 것처럼 기술하고 있지만 실제로는 그런 방법에 의해 체포된 인원은 많지 않았다. 반란 가담 혐의로 체포된 인사들은 마구잡이로 처형하는 것이 아니라 일정한 심사와 재판을 거쳐 처벌되었다.

좌경 저술가들은 국군이 학살한 '양민'들이 매우 많은 것처럼 기술하고 있으나 그런 기술은 실제와 부합하지 않은 잘못된 기술이다. 국군에 의해 사살된 사람들의 많은 부분은 국군이 진격해올 때 국군에 맞서 싸우다가 사살되거나 체포된 민간복장의 토착 좌익분자들이었다. 그러한 좌익 전투인원들을 단지 민간복장을 입고 있었다는 이유로 억울하게 학살된 '양민'으로 기술하는 것은 매우 잘못된 일이다.

〔참고: 이 장의 서술 내용은 김용삼 저, 『대구 10월폭동, 제주 4·3사건, 여·순반란사건』(백년동안, 2017)을 많이 참조하여 작성되었다.〕

제14장

국가보안법은 친일파의 작품인가?

국보법 발의자는 친일파 반대 의원

　국가보안법(국보법)을 반대하는 사람들은 국보법 제정이 친일파와 연결된 것으로 주장한다. 그들에 따르면, 친일파 처벌을 위한 반민족행위처벌법(반민법)이 9월 22일 공포된 것과 비슷한 시기인 9월 20일에 국가보안법의 전신인 내란행위특별조치법이 제안되었다는 점과, 친일인사들이 지도부를 구성하고 있던 한국민주당이 국가보안법 제정에 앞장섰던 점을 생각하면 국가보안법 발의 배후에 친일파가 있다고 판단하게 된다는 것이다. 반민법 제정으로 친일파가 처벌되는 것에 맞불을 놓기 위해 친일파가 국가보안법을 제정하기로 했다는 것이다. 이런 사람들은 또 국가보안법은 일제시대 우리 민족의 독립운동을 탄압하기 위해서 일본 관리들이 만든 치안유지법을 본따서 만든 반민족인 것이라고 주장하기도 하고, 친일파와 이승만에 반대하는 민족민주인사들을 탄압하기 위한 법률이라고 주장하기도 한다.

　이러한 주장들은 국가보안법 제정의 역사를 전혀 알지 못한 게으르고 문제의식이 결여된 서생들의 잘못된 주장이다.

우선 국보법을 제정한 건국국회에는 진정한 친일파가 단 한 명도 없었다. 이 책의 제11장 「친일파가 대한민국을 건국했다고?」에서 밝힌 바와 같이 5·10선거법은 친일파들에게 피선거권은 물론 선거권조차 주지 않았는데 무슨 수로 그들이 국회에서 국보법의 발의를 배후 조종할 수 있었을까? 도무지 말이 안 되는 소리다.

국보법은 친일파 처벌 주장에 앞장서온 무소속의 젊은 의원 김인식이 발의한 것이다. 옹진군 출신의 청년 국회의원 김인식은 건국국회에서 친일파 처벌 주장에 앞장서온 인사이다. 김인식은 친일파 처벌을 위한 반민족행위처벌법 제정에 앞장섰고, 이승만 행정부 장관들 가운데 친일파가 있으면 조속히 축출해야 한다고 주장한 국회의원이다. 김인식은 이처럼 친일파 처벌에 앞장서면서도 동시에 반공의식이 매우 강한 정치인이었다. 김 의원은 38선에 인접해 있는 선거구의 경찰관들로부터 '북한의 지령을 받아 움직이는 공산주의자를 눈앞에 보고도 법률이 없어서 잡아들이지를 못한다. 이러다간 대한민국이 공산주의자의 반란으로 쉽게 무너지겠다'고 걱정하는 소리를 자주 들어왔다. 김 의원 자신도 그런 걱정에 동조했다.

그런 걱정을 해오던 김 의원으로 하여금 북한의 지령을 받은 공산주의자들의 반란을 막기 위한 법률 제정을 제안하기로 결심하게 만드는 극적인 사건이 1948년 9월 중순 발생했다. 북한의 인민공화국 기가 중앙청 국기게양대에 게양된 사건이다.

1948년 9월 12일 아침 중앙청 국기게양대에 북한의 인민공화국기가 게양되었다. 당시 중앙청은 대통령집무실과 행정부가 있는 건물이자 국회의사당이 있는 건물이었다. 이런 건물의 국기게양대에 밤새 누군가가 인공기를 게양해놓은 것이다. 정치인들과 국민에게 큰 충격을 준 사건이었다. 그 다음날 아침에는 서대문 근처 영천에 있는 독립문 위에 인공기가 게양되었다. 누군가가 밤중에 몰래 인공기를 게양해둔 것을 아침에 시민들이 목격하게 된 것이다. 시민들은 중앙청 국기게양 대에 인공기가 게양된 것을 매우 불길한 조짐으로 생각하면서 숙덕거 렸다. '이러다가 난리가 나는 것 아닌가?', '난리가 나면 시민들의 운명 은 어떻게 될까?' 등을 놓고 크게 걱정하면서 한숨을 쉬었다.

중앙청에 게양된 인공기는 3일 전에 평양에서 선포된 '조선민주주의 인민공화국'의 국기이다. 평양에서 인공 수립이 선포되기 전 남한에서 는 좌익들의 지하선거(평양에서 소집될 인민대표자대회의 남한지역 인민대표를 선 출하기 위해 해주에서 개최되는 선거인단을 선출하기 위한 좌익들의 형식적인 비밀선 거)로 사회분위기가 뒤숭숭했으며, 9월 9일 평양에서 인공 수립이 선 포되자 좌익은 크게 환호하면서 남한도 조만간 인공 통치를 받게 될 것이라고 선전했다.

1980년대 이후 남한사회에서 널리 애창되는 대중가요 「향수」의 작 사자인 시인 정지용도 인공 선포에 대해 "순간에 밀려오는 무슨 압력 을 육체로 느꼈습니다. 이것을 역사와 세기의 중력이라고 할지. 북조선 에서 보기 좋게 해낸 일이 조국과 민족과 세계에 향하여 무슨 조금이 라도 부끄러운 짓이 됩니까. 부끄럽지 않기에 당당하겠고, 우리 조국 의 반쪽으로부터 이제 팽창하는 것입니다."라는 소감을 공개적으로 피 력할 정도였다.

그러한 분위기 속에 밤이면 서울 시내의 도처에 '조선인민공화국 만 세'라고 쓴 벽보가 붙여지고 전단지가 살포되었다. 농촌지역에서는 인 공 수립을 축하하고 민중의 봉기를 촉구하는 봉화가 산꼭대기에 켜졌 다. 그런 일들이 계속되는 속에서 마침내 대한민국의 심장부인 중앙청에 인공기가 게양되었으니 시민들이 불길하게 생각하지 않을 수 없었다. 시민들 사이에는 곧 난리(좌익의 반란)가 일어날 것이라는 소문이 파다하게 번졌다.

내란 우려 고조 속에 내란행위처벌법 발의

김인식은 이러한 사태에 당면하여 내란을 방지하기 위한 법률이 하루속히 제정되어야 한다고 생각했다. 김 의원은 애국심이 강한 의원들을 찾아다니며 자신의 의견을 말하고 그에 대한 지지를 얻어냈다. 김 의원은 당시 청년의원으로 예의가 바르고 용기도 있어서 많은 의원들의 호감을 사고 있었다. 그로 인해 동조자들을 쉽게 모을 수 있었다. 김 의원은 동료의원 32명의 지지를 받아 9월 20일 본회의에서 「대한민국 내란행위 특별처벌법」을 제정할 것을 제안했다.

'난리'를 미연에 방지하기 위해 '난리'를 일으키려는 움직임을 보이는 사람들을 효과적으로 단속할 수 있는 법을 만들자는 것이 김인식의 뜻이었다. 그러나 당시 국회의원들의 다수는 김인식의 제안에 대해 큰 관심을 나타내지 않았다. 당시 국회의원들의 관심사는 이승만 대통령의 독선을 국회가 어떻게 하면 견제할 수 있을 것인가에 쏠려 있었다. 그래서 국회는 김 의원의 제안을 토론하지 않고 미뤘다. 그러다가 국회는 9월 29일 김인식이 제안한 내란방지법의 초안을 법제사법위원회에서 작성하여 본회의에 제출하도록 결의했다.

국민들은 난리를 걱정하고 있었지만, 국회의원들 가운데 그 문제를 심각하게 생각하는 사람들이 많지 않았던 것이다. 국회의원들 사이에서는 대한민국을 지키는 것은 행정부가 할 일이고 국회는 민주주의를 공고히 하기 위해서만 일하는 기관이라고 생각하는 사람들의 목소리가 컸다. 또한 국회의원들은 당시 그런 법률을 만들기 위해 신경을 쓰기에는 심신이 너무 지쳐있었다. 국회의원들은 5월 31일 국회가 개원된 이래 10월 중순까지 열악한 환경 속에서 쉬지 않고 일해서 매우 피곤해 있었다.

분위기가 그러했기 때문에 법사위도 그 법률의 초안 작성을 서두르지 않았다. 법률 제정의 제안자인 김인식도 그다지 급하게 생각하지 않은 탓인지, 법사위의 법률초안 작성을 재촉하지 않았다.

김인식의 제안이 이처럼 경시되는 가운데 국회는 10월 14일 20일간의 휴회에 들어갔다. 국회개원 후 4개월 반을 매우 불편한 생활조건 속에서 입법활동에 전념해온 국회의원들은 심신이 너무 지친 나머지 모두가 '제발 좀 쉬었다 하자'는 마음이었다. 10월 14일 한 의원이 며칠간 쉬자고 제안하자 국회의원들은 이구동성으로 그것을 반기면서 휴가기간을 20일로 넉넉히 정했다.

국회의원들이 15일부터 휴가에 들어간지 5일 만에 전남 여수·순천지역에서 반란이 발생했다. 여수에 주둔하던 국군 제14연대 병력이 반란을 주동하고 여수와 순천지역의 좌익세력이 그에 호응하여 여수와 순천을 하루 만에 장악했다. 반란군과 인근 지역의 좌익이 합세하여 벌교 보성 광양 구례 장흥 등도 전부 또는 일부 점령했다.

난리를 걱정해 오던 국민들의 마음은 크게 스산해졌다. 대한민국정부를 의지해도 될 것인지가 불확실했다. 국회는 회의를 비상소집했고, 10월 27일에 이르러 국회가 개회되었다. 국회의원들은 이날 여순반란사건의 보고를 청취한 뒤 시국수습대책을 토의하면서 김인식의 제안을 기억해냈다. 김인식은 반란을 막기 위해 그 법률을 제정하자고 제안했던 것인데, 나머지 국회의원들은 반란이 일어난 후에야 그 법률의 필요성을 깨닫게 된 것이다. 국회의원들은 그 법률을 하루라도 빨리 제정하자고 서둘렀다. 국회의원들은 그 법률의 심의를 기피했던 자신들의 행동은 망각한 채, 마치 그 법률이 없어서 반란이 일어난 것처럼 그 법률의 신속한 제정을 촉구했다.

국가보안법의 등장

국회의원들은 새삼스럽게 그 중대한 법률의 초안 작성이 왜 늦어지고 있는가고 법사위를 질타하면서 3일 이내에 초안을 완료하여 본회의에 제출하라고 다그쳤다. 그러나 법사위는 그것을 본회의의 요구대로 조속히 만들어낼 수가 없었다. 우선 형법이 아직 제정되어 있지 않아서 그런 특별 형사법을 만들 준거기준이 불확실했고, 선진 민주국가의 유사한 입법사례도 알지 못했기 때문이다.

법사위가 법률 초안을 준비하고 있는 동안, 반란과 반란소문은 확대되고 있었다. 여순반란을 진압하기 위해 출동한 일부 군 병력이 반란군에 합세하는가 하면, 11월 2일에는 대구 주둔 제6연대의 일부 병력이 반란을 일으켜 대구 시내를 휩쓸다가 진압군에 밀려 외곽으로 퇴각했다. 또한 소련의 볼세비키혁명 기념일인 11월 7일 전국적인 폭동이 일어날 것이라는 소문이 파다했다. 상황이 이런지라 국회는 내란방지를 위해 강력한 조치를 취할 수 있는 법률을 빨리 만들고 싶어했다.

법사위는 법무부와 검찰의 협조를 얻어 법률 초안을 작성했다. 초안 작성과정에서 법률의 명칭을 김인식이 제안했던 「내란행위 처벌법」이 아닌 「국가보안법」으로 바꾸었다. 내란행위에 대한 처벌은 통상 일반 형법에 포함되어 있는 것이기 때문에, 특별법의 명칭은 형법의 조문과 중복을 피해야 한다는 이유에서였다. 그 법률의 명칭을 '내란을 방지하자'는 뜻과 거의 같은 '국가를 지키자'는 뜻을 담은 「국가보안법」으로 바꾼 것이다. 법사위는 11월 9일 국가보안법 초안을 국회 본회의에 제출했다.

법사위가 제출한 국가보안법의 조문 수는 달랑 5개였다. 5개의 조문을 기초하는데 한 달 이상의 시일이 소모되었다는 것은 법사위의 초안 작성 능력이 부족했거나 법사위원들의 성의가 결여되었음을 시사한다.

법사위로부터 국보법 초안을 보고받은 국회 본회의는 국가보안법 제1독회(대체토론)에 들어갔다. 1독회에서 총 16명의 의원이 발언했다. 그 중 법률 제정 그 자체에 반대한 사람은 단 1명도 없었다. 3명만이 국보법의 실효성에 대해 의문을 제기하는 발언을 했다. 나머지 13명의 의원들은 모두 국보법의 필요성을 강조하고, 법 위반자들에 대한 처벌 내용의 강화를 주문했다.

토론 도중에 어떤 의원이 법무장관과 검찰총장이 법사위가 제출한 국보법 초안에 문제점이 많다는 말을 하더라는 발언을 했다. 그러자 법무장관과 검찰총장을 불러서 무슨 문제가 있는지 들어보기로 했다. 국회에 나온 법무장관과 검찰총장은 법사위 초안의 문제점을 구체적으로 지적하지 못하면서도 초안의 용어와 형량 등에 있어서 법률로서 문제가 있다는 막연한 말만 했다.

법사위원장 백관수는 법무장관과 검찰총장의 이러한 발언에 감정이 상했다. 국보법 초안 작성과정에서 법무장관·검찰총장과 협의를 했었는데, 그들이 이제 와서 딴 소리를 하는 것이 기분 나빴다. 심사가 꼬인 백관수는 원래 이런 종류의 법안은 행정부가 제출해야 할 성질의 것인데, 국회 본회의가 법사위에 법안기초를 의뢰하는 바람에 법사위가 초안을 작성하게 되었고, 초안 작성에 시간적 여유가 없어서 초안에 하자가 있게 되었으니, 법사위의 초안을 폐지하고 행정부로 하여금 새로운 법안을 제출하도록 결의하자고 제안했다.

백관수의 제안을 놓고 갑론을박을 하다가 결국 법사위로 하여금 법무장관·검찰총장과 상의하여 초안을 다시 잘 만들어서 본회의에 제출하도록 결정되었다. 법사위는 본회의의 결정에 따라 법무장관과 검찰총장을 불러 초안을 수정했다. 뒷공론에서 국보법 초안에 문제가 많다고 말하던 법무장관과 검찰총장은 막상 초안의 구체적 수정에 대해서는 이렇다 할 의견을 제시하지 않았다.

결국 법사위는 당초의 초안에서 단어 몇 개를 수정하거나 삽입한 새로운 초안을 11월 16일 본회의에 상정했다. 법사위의 새로운 초안이 상정되는 것과 동시에 국보법을 심의하지 말고 폐기하자는 동의안이 발의되었다. 이 동의안은 김옥주 외 47명이 서명하여 제출한 것이었다. 11월 9일 국보법 제1독회 때는 뚜렷하게 존재하지 않았던 반대론자들이 며칠 사이에 급격히 증가한 것이다. 그 배후에는 남로당과 남북협상파의 입김이 작용하고 있었다.

압도적 다수 지지로 통과된 국보법

국보법 폐기 주장에 앞장선 의원들은 머지않아 국회 프락치사건으로 검거되거나 6·25전쟁 때 자진 월북한 의원들이었다. 이들이 매우 치열하게 국보법 초안 폐기를 역설하며, 국보법의 제정을 봉쇄하려 했다. 국회부의장으로서 이날 사회를 맡은 김약수는 의사를 편파적으로 진행하면서 폐기 주장 의원들을 지원했다.

그들이 내세운 폐기 이유는 △ 일제시대의 치안유지법과 같은 반민주적 국보법을 민주주의 기관인 국회가 제정한다는 것은 자기모순이다, △ 좌익을 막으려면 민주주의적 입법을 해서 민족정기를 살려야 하며 이런 법률로는 좌익을 막을 수 없다, △ 사상에는 사상으로 대항해야지 권력으로 막을 수는 없다, △ 행정부가 할 일을 국회가 할 필요가 없다, △ 이 법으로는 공산당은 못 잡고 공산당의 모략에 넘어간 사람이나 애국자들과 통일운동가들만 다치게 할 우려가 있다 등이었다.

국보법 제정을 찬성하는 의원들은 △ 공산당이 국가를 뒤엎으려 하는데, 그들이 기존 형법(일제시대 형법을 미군정에서 약간 수정한 것)을 위반하지 않는 한 그들을 검거할 수 없으니 특별법이 필요하다, △ 좌익이 사방에서 반란을 음모하고 있는 판국에 그들의 반란으로부터 국가를 지키려는 법을 제정하지 말자는 것은 그들의 폭동 반란을 지원하는 것이다, △ 공산당이 대한민국을 파괴하려 하고 있는데 민주주의를 이유로 국보법을 만들지 말고 공산당이 대한민국 파괴를 자진 포기할 때까지 기다리자는 것은 말이 안 된다, △ 공산당이 국보법 초안 폐기를 선동하고 있는데 국보법 초안을 폐기하는 것은 그들을 돕는 것이다, △ 국회가 본회의에서 법사위에 초안을 만들어 오라 해놓고서는 법사위가 제출한 초안을 토론도 안 해보고 폐기하자는 것은 국회법 위반이다 등의 이유를 내세워 폐기동의에 반대했다.

폐기동의안을 채택할 것인지 여부를 놓고 표결이 행해졌다. 표결 결과 재석 122, 찬성 37, 반대 69로 부결되었다. 당초 폐기동의안 발의에 참여했던 47명 중 10명이 토론과정에서 드러난 폐기 선도 의원들의 사상에 의심을 품고 폐기안 지지를 철회했다.

11월 18일 마침내 법사위의 초안에 대한 심의가 개시되었다. 심의가 시작되자마자 국보법의 제정이 시급하다고 생각하는 의원들이 초안에 대한 제1독회를 생략하고 제2독회(축조심의)로 바로 들어가자고 제안했다. 그들은 본회의에서 심의할 새로운 초안이 11월 9일 제1독회를 실시했을 때의 초안과 내용상 차이가 거의 없으며, 16일에 있었던 폐기안 토론 때도 국보법의 내용에 관한 토론이 많이 있었기 때문에 내용상 동일한 일을 반복할 필요가 없다는 이유를 제시했다. 앞서 국보법 폐기 주장에 앞장섰던 의원들은 제1독회를 건너뛰자는 안에 반대했다. 표결결과 찬성 65, 반대 26으로 제1독회를 생략하기로 결정되었다.

11월 19일 국보법 제2독회가 시작되었다. 국보법 폐기를 추진하다가 실패한 의원들은 축조심의 단계에서 국보법을 유명무실한 법률로 만들려는 노력을 전개했다. 그들은 축조심의가 시작되자마자 국보법 제1조를 삭제하자는 수정안을 제출했다. 제1조 삭제안은 표결에서 찬성 20, 반대 74로 부결되었다.

제2조 심의에 들어가자, 반대파 의원들은 제2조의 수정을 구두로 제의했다. 당시 국회법에는 법안의 수정제의는 축조심의 개시 전에 문서로 제의할 수 있으며, 심의도중 구두로 수정을 제의하려면 20청(請)이 이루어져야 하도록 되어있었다. 노일환이 수정을 제의한 후 7청이요 하는 사람까지만 있고 더 이상 진전되지 않았다. 반대파의원들의 숫자가 점점 줄어든 것이다. 제2조 수정제의는 성립되지 못했고, 지지자가 크게 줄자 반대파 의원들은 입법 방해를 포기했다.

國家保安法

제1조 국헌을 위배하여 정부를 僭稱하거나 그에 부수하여 국가를 變亂할 목적으로 결사 또는 집단을 구성한 자는 左에 의하여 처벌한다.

1. 首魁와 간부는 무기, 3년 이상의 징역 또는 금고에 처한다.
2. 지도적 임무에 종사한 자는 1년 이상 10년 이하의 징역 또는 금고에 처한다.
3. 그 情을 알고 결사 또는 집단에 가입한 자는 3년 이하의 징역에 처한다.

제2조 살인, 방화 또는 운수, 통신기관, 건조물 기타 중요시설의 파괴 등의 범죄행위를 목적으로 하는 결사나 집단을 조직한 자나 그 간부의 직에 있는 자는 10년 이하의 징역에 처하고 그에 가입한 자는 3년 이하의 징역에 처한다. 범죄행위를 목적으로 하는 결사나 집단이 아니라도 그 간부의 지령 또는 승인 하에 단체적 행동으로 살인, 방화, 파괴 등의 범죄행위를 감행한 때에는 대통령은 그 결사나 집단의 해산을 명한다.

제3조 前3조의 목적 또는 그 결사, 집단의 지령으로써 그 목적한 사항의 실행을 협의 선동 또는 선전을 한 자는 10년 이하의 징역에 처한다.

제4조 본법의 죄를 범하게 하거나 그 情을 알고 총포, 탄약, 도검 또는 금품을 공급, 약속 기타의 방법으로 자진 幇助한 자는 7년 이하의 징역에 처한다.

제5조 본법의 죄를 범한 자가 자수를 할 때에는 그 형을 輕減 또는 면제할 수 있다.

제6조 타인을 모함할 목적으로 본법에 규정한 범죄에 관하여 허위의 고발 위증 또는 직권을 남용하여 범죄사실을 날조한 자는 當該 내용에 해당한 범죄규정으로 처벌한다.

1948년 12월 1일 공포된 최초의 국가보안법. 국가변란을 목적으로 하는 단체의 조직 및 그 구성원으로 활동하는 것을 처벌하는데 초점을 맞춘 6개 조문의 짧은 법률이다.

2조부터 3조까지는 꼼꼼한 자구 수정들이 이루어졌다. 마지막으로 법집행자들이 이 법을 악용하는 것을 방지하기 위해 악용방지 내용을 담은 제6조를 추가했다. 2독회 말미에 가서 자구 수정까지 다 했으니, 향후 더 자구를 수정할 것이 있으면 법사위에서 수정한다는 전제하에 제3독회를 생략하고 국보법을 통과시키자는 제안이 나왔다. 그것을 표결에 부치자 재석 121, 찬성 84, 반대 3의 압도적 찬성으로 가결되었다.

통과된 국보법은 총 6개 조항으로 구성되었으며, 그 핵심내용은 '국헌을 위배하여 정부를 참칭하거나 그에 부수하여 국가를 변란할 목적으로 결사 또는 집단을 구성한 자'를 처벌하는 것이었다. 반란단체를 구성하는 것에 처벌의 초점을 둔 것이며, 오늘날과 같이 적을 이롭게 하거나 적에 동조하는 것을 처벌하는 조문도 없는 법이었다. 최초의 국보법은 반란을 방지하기에는 효력이 빈약한 법률이었다.

국보법 제정 비판의 부당성

오늘날 국보법 폐기를 주장하는 사람들이 말하는 국보법 제정에 대한 비판은 4가지이다. 첫째는 입법 동기에 있어서 반민법 제정으로 처벌 위기에 놓인 친일파를 보호하기 위해 만들어졌다는 것이다. 둘째는 이 법률이 친일파의 배후 조종 하에, 심지어는 주도하에 제정되었다는 것이다. 셋째는 이승만이 반대세력을 탄압하기 위해 민중의 뜻에 반하여 만들었다는 것이다. 넷째는 일제시대 치안유지법을 모방한 법률이기 때문에 나쁜 법이라는 것이다.

    국가보안법의 발의된 배경, 발의, 입법과정, 법률의 내용을 면밀히 살펴보면, 그러한 국보법 제정 비판들은 모두가 실제와 부합하지 않는 타당하지 못한 것임이 드러난다.

    첫째, 국가보안법은 북한에서 1948년 9월 9일 인민공화국이 수립된 직후 남한 내에서 그에 동조하는 세력들이 치열하게 인공지지 활동을 전개하여 반란이 일어날 것이라는 우려가 사회에 팽배한 가운데, 그런 반란을 방지하기 위한 법적 장치를 마련하자는 취지에서 발의되었던 것이다. 반민법 제정으로 처벌의 위기에 놓인 친일파들을 보호하기 위해 발의되었다는 비판은 터무니없는 헛소리이다.

    둘째, 국가보안법 발의자 김인식은 건국국회에서 이름난 친일파 반대 의원이며, 그런 김 의원이 입법을 발의하고 주도하는 국보법의 제정 과정에 친일파들이 끼어들 틈이 없었다. 건국국회에는 친일파가 없었는데 그들이 어떻게 국보법 제정과정에 개입할 수 있었을 것인가?

    셋째, 이승만이 반대세력을 탄압하기 위해 국보법을 제정했다는 비판은 국보법이 의원입법으로 제정된 것이며, 국보법 발의 의원은 이승만에게 충성하는 인물이 아니었다는 사실과 일치하지 않는다. 국보법 제정이 민중의 뜻에 반하여 제정된 법률이라는 비판은 그 법이 국회에서 압도적 다수 지지(재석 121 중 찬성 84, 반대 3, 기권 34)로 제정된 사실과 일치하지 않는다.

    넷째, 일본 제국주의시대 일본의 치안유지법을 모방한 것이어서 나쁘다는 것은 법의 목적을 외면하고 법의 외형만 생각하는 타당치 않은 비판이다. 일제시대 치안유지법은 우리 민족의 독립운동을 탄압하는 데 이용되었기 때문에 우리 민족으로서는 비판하는 것이 마땅하다. 그러나 대한민국의 국가보안법은 자유민주주의국가 대한민국을 보호하기 위한 것이기 때문에 외형상 일제의 치안유지법을 모방했다는 이유로 비판되어서는 안 된다. 범죄자의 손에 들린 총은 악을 자행하는 도구이기 때문에 비판되어야 하지만 경찰의 손에 들린 총은 악행을 저지하기 위한 도구이기 때문에 비판되지 않아야 하는 것과 같은 이치이다.

제15장

국회프락치사건은 조작된 것인가?

프락치사건이 조작이라는 주장

1949년 5월 17일 대한민국의 대공수사 당국은 남로당이 포섭한 국회프락치 혐의로 이구수·최태규 의원을 체포하고, 다음날에 이문원 의원을 체포했다. 6월 21일에는 남로당 국회프락치 혐의로 노일환, 강욱중, 김옥주, 김병회, 박윤원, 황윤호 의원들을 체포했고, 4일 후에는 국회 부의장 김약수를 체포했다. 8월 10일에는 남로당 프락치 혐의로 원장길, 배중혁, 김영기, 김익로, 차경모 의원들에 대해 구속영장이 발부되었고, 배중혁과 차경모는 구속되었다. 8월 14일에는 서용길, 신성균, 김봉두 의원 등이 추가 구속되었다. 4차에 걸쳐 구속된 국회의원은 총 15명이었다.

이 사건을 국회프락치사건이라 하는데, 우리 사회의 좌경 문필가들은 이 사건을 이승만 정권이 친일파 척결작업에 앞장서온 이른바 소장파 의원들을 탄압·제거하기 위해 조작한 사건이라고 주장하고 있다. 그들에 따르면, 이승만 정권은 친일세력을 기반으로 한 정통성이 취약한 정권이었으므로 소장파 의원들이 주도하는 반민족행위자처벌특별

위원회의 친일파 척결작업에 위협을 느꼈다. 그래서 이승만 정권은 위협을 제거하기 위해 소장파 의원들을 제거하는 공작을 전개했고, 친일경찰 출신인 전병덕 헌병대사령관과 최운하 서울시경 사찰과장이 그 공작을 주도했다는 것이다.

좌경 문필가들에 따르면, 이승만 정권은 1949년 봄부터 반민특위의 활동을 견제하면서, 동시에 반민특위에서 활발한 활동을 전개하는 소장파 의원들을 탄압할 단서를 만들려고 공작했다. 그런 공작 끝에 5월에 남로당 프락치로 이구수·최태규·이문원 등을 체포했으며, 이것이 국회의원을 15명이나 체포하는 국회프락치사건의 신호탄이었다는 것이다. 그리고 이런 국회프락치사건은 6월에 발생한 김구 암살사건과 연결된 것이라는 주장이다.

국회프락치사건은 국회의 소장파 의원들 혹은 국회를 탄압하기 위해서 조작된 정치적 사건인지 여부를 판단하려면 먼저 그 사건이 발생했던 시기의 정세와 사건의 진행과정을 정확히 알아야 한다.

남로당의 국회의원 포섭

국회프락치사건은 남로당(남조선노동당: 공산당)의 5·10선거 개입에서부터 시작되었다고 볼 수 있다. 5·10선거 때 남로당은 한편으로는 선거파탄투쟁을 전개하면서, 다른 한편으로는 국회 내에 동조세력을 확보하기 위해 장차 포섭될 가능성이 보이는 후보자들을 개별 선거구별로 지원했다. 그 대표적인 사례가 전북 익산에서 출마한 이문원이었다. 일제시기 보통학교 교사로 일했던 이문원은 5·10선거 때 남로당의 음성적 지원을 받아 국회의원에 당선되었다. 이문원 이외에 상당수의 의원들이 남로당의 은밀한 지원을 받아 국회에 진출했다.

남로당은 대한민국 건국 후 지하당으로 전환했다. 지하당으로 전환한 남로당은 국회에 영향력을 행사하기 위해 국회의원들을 포섭하고자 했다. 이런 포섭공작을 위해 남로당은 1948년 9월 '반동 프락치부'라는 특수공작부를 설치하였다. 이 부서의 책임자는 도상익(별명: 조동룡, 조만), 부원으로는 김사복(별명: 이삼혁, 하사복), 이재남, 정해근, 김우진, 유진원, 이병석 등이 활동했다. 그 중 김사복, 이재남, 정해근이 국회의원 포섭공작을 담당했다. 그들은 선량한 기업인으로 위장하여 활동했으며, 서울 중구 충무로 2가·4가, 종로 4가 등지에 사무실을 차려놓고 활동했다.

남로당의 제1차 포섭 대상은 5·10선거에서 자기들의 지원을 받아 당선된 국회의원들이었다.

전북 순창 출신의 노일환과 익산 출신의 이문원은 포섭 우선순위 0번이었다.

일제시기에 신문기자로 활동했던 노일환에게는 일제시기에 같이 신문기자로 활동했던 이재남이 옛날 인연을 이용하여 접근해왔다. 이재남은 48년 11월 중순부터 노일환에 대한 포섭공작을 개시했다. 남로당은 국회 프락치 공작을 김사복이 전담하기로 결정하여 노일환 포섭공작을 김사복에게 넘겼다. 김사복은 이삼혁이라는 가명을 사용하며 노일환에 접근했다. 이삼혁은 자신을 부산에서 어업으로 돈을 번 사업가로 자처하면서 48년 12월 하순부터 노일환에 접근했다. 이삼혁의 유도로 노일환은 남로당 비밀당원으로 가입했다.

김사복은 전북 익산 출신의 이문원도 포섭했다. 이문원에 대한 포섭공작을 전개할 때는 하사복이라는 가명을 사용했다. 하사복의 이문원 포섭에는 이문원의 보통학교 동창생이며 변호사로 활동하고 있는 남로당 비밀당원 오관이 동원되었다. 오관은 49년 1월 이문원과 하사복을 자기 집에 초대하여 두 사람을 연결시켜 주었고, 그 후 하사복이 이문원을 적극 공략, 포섭하여 남로당 비밀당원으로 만들었다. 정해근은 이구수, 황윤호, 최태규 등을 포섭하려 하다가 국회의원 포섭공작이 김사복으로 일원화되는 바람에 손을 뗐다.

국회의원에 의한 국회의원 포섭

김사복은 노일환과 이문원을 포섭하면서도 완전히 별도로 관리하여 상호간에 남로당에 포섭된 사실을 알지 못하게 하였으며, 이들에게 국회 내 동조자 포섭을 위해 매달 2백~3백만 원의 공작금을 제공했다. 당시 요정에서 국회의원 20명이 하룻밤 연회를 하는데 20만원 정도가 소요되었으므로 월 2~3백만 원이면 매우 큰돈이었다. 노일환과 이문원은 김사복이라는 동일인물에 의해 포섭되었으면서도 그런 사실을 당국에 체포될 때까지 전연 몰랐다.

노일환과 이문원은 김사복으로부터 수령한 공작금으로 국회의원들을 포섭했다. 그들은 이승만 대통령에 반대하는 경향이 있는 사람들 가운데 주로 젊은 사람들(소장파의원들)을 중심으로 동조자들을 포섭했다. 두 사람이 포섭한 주요 동조자들은 김옥주(전남 광양), 이구수(경남 고성), 김병회(전남 진도), 배중혁(경북 봉화), 신성균(전북 전주), 강욱중(경남 함안), 최태규(강원 정선), 황윤호(경남 진양), 박윤원(경남 남해), 김약수(경남

동래), 서용길(충남 아산), 차경모(전남 강진), 김봉두(전북 장수) 등이었다.

당시 국회에는 남로계가 포섭한 프락치 외에 북로계(예: 성시백계)에 의해 포섭된 프락치도 있었다. 국회프락치사건으로 드러난 프락치들은 남로계에 포섭된 프락치들일 뿐이었다. 국회 프락치사건으로 남로계 프락치들은 제거되었지만 북로계 프락치는 국회에 남아서 활동했다. 그러나 수사기관의 역량부족으로 그들은 체포되지 않았다.

국회프락치 사건 연루자들의 계보.

프락치들의 활동

　노일환과 이문원 등 남로당 프락치들은 국회의원으로서 대한민국에 해를 끼치는 활동을 많이 전개했다. 그들은 남로당에 포섭되기 전부터 그러한 활동을 전개했으며, 포섭된 후에는 더욱 적극적으로 대한민국에 해를 끼치는 활동을 전개했다. 그들이 남로당의 프락치로 포섭된 시기를 전후해서 전개한 반국가적 활동을 정리해보면 다음과 같다.

<한미협정 반대투쟁>

　48년 9월 18일 「한미 재정 및 재산에 관한 협정 동의안」이 국회에 상정되자 이문원·노일환 등과 그 동조자들은 이에 격렬하게 반대했다. 한미 양국이 상대국에서 필요에 따라 동산이나 부동산을 매입하려 할 때 상호 용인해줄 것을 취지로 하는 이 협정을 놓고 그들은 국토를 미국에 팔아먹는 매국적인 행위라고 비난했다. 이문원과 노일환은 이 협정을 을사조약의 재판이며, 이 협정 작성자는 이완용의 후손이라고 주장하며 회의장에서 퇴장했다. 국회는 이 동의안을 압도적 다수의 찬성으로 가결했다. 이 동의안이 가결된 후 이문원은 이 결의에 반대하는 성명을 개별적으로 발표했다.

　48년 12월 11일 「한미원조협정 동의안」이 국회에 상정되었을 때도 이문원과 노일환 등은 그에 격렬히 반대했다. 미국이 한국에 베푸는 것을 골자로 하는 이 협정을 그들은 한국에 불리한 것이라고 거꾸로 주장하며 비난했다. 그들의 반대에도 불구하고 국회는 압도적 지지로 이 동의안을 가결했다.

<미군철수 촉구 투쟁>

노일환·이문원과 그의 동조자들은 미군철수 촉구투쟁을 전개했다. 48년 10월 13일 박종남 외 45인의 서명을 받아 외군(미군)철퇴 결의안을 본회의에 상정시켰다. 이 결의안이 상정되자 미군철수에 반대하는 다수의 의원들이 결의안의 제안 설명도 하지 못하도록 의사진행을 방해하여 심의가 보류되었다.

이문원은 49년 1월 15일 미군철수를 위해 유엔한국위원회가 노력해줄 것을 촉구하는 유엔한국위원회에 보내는 메시지를 국회 본회의에서 낭독하려 하다가 미군철수에 반대하는 다수의 의원들이 실력으로 저지하는 바람에 실패했다.

그들은 49년 2월 5일 '남북평화통일을 실현하기 위해 한국 내 주둔 외군의 즉시 철퇴를 실현하기 위해 유엔한국위원단이 노력해줄 것을 요청할 것'을 내용으로 하는 「남북평화통일에 관한 긴급결의안」을 김병회 외 71인의 서명을 받아 국회 본회의에 상정했다. 이 결의안은 3일 후 실시된 표결에서 재석 159 중 찬성 37, 반대 95로 부결되었다. 제안에 서명했던 71명 중 34명은 찬성투표를 하지 않은 기현상을 나타냈다. 이는 그 34명의 의원들이 프락치 및 동조자들의 회유에 넘어가 결의안의 제안서에는 서명을 했으나 무기명 투표로 하는 표결에서는 찬성투표를 하지 않았음을 의미한다.

국회에서 미군철수 촉구를 결의하려는 노력이 좌절되자 그들은 유엔한국위원회에 외군철수를 위해 유엔한국위원단이 노력해줄 것을 촉구하는 서한(진언서)를 유엔한국위원단에 보내기로 작정했다. 그들은 3월초부터 유엔한국위원단에 보내는 진언서에 서명할 동조의원들의 포섭작업에 들어갔다. 당초 1백명의 서명을 목표로 삼았으나 62명의 서명만 받게 되었다. 김약수, 이문원, 노일환 등이 이끄는 서명파의 대표들은 49년 3월 19일 덕수궁에 있는 유엔한국위원회 사무국을 방문하여 유엔한국위원회가 외군철수를 위해 노력해 줄 것을 촉구하는 내용의 진언서를 제출했다.

그들은 또 주한미군이 군사고문단만을 남겨두고 49년 6월말까지 전원 철수할 것으로 알려지자 군사고문단 설치 반대투쟁을 전개했다. 그들은 국회프락치사건으로 이문원, 이구수, 최태규가 검거된 뒤인 49년 6월 17일에도 유엔한국위원단을 방문하여 외군이 철수한 후 군사고문단을 설치하는 것을 유엔한국위원단이 저지해줄 것을 촉구하는 서한을 제출했다. 이 서한에도 62명의 의원이 서명한 것으로 되었는데, 서명자 명단은 3월 19일 서한의 서명자 명단을 도용한 것이었다. 그 이벤트에는 김약수, 노일환, 박윤원, 김병회, 김옥주, 강욱중 등 6인이 참여했다.

남로당 프락치 및 동조자들이 이런 짓을 자행하자 그에 분노한 국회의원들은 6월 21일 142명의 의원들이 서명한 미군사고문단 설치 환영 성명을 발표하고, 이를 유엔한국위원단과 주한미국대사에게 보냈다.

<국가보안법 저지투쟁>

48년 10월 20일 전남 여수에 주둔 중이던 국군 14연대가 반란을 일으켰다. 제14연대 반란이 일어난 후 국회는 반란방지를 위한 법률을 제정하려 했다. 11월 16일 국회 법사위는 「국가보안법」 초안을 본회의에 상정했다. 국보법 초안이 상정되자 노일환·이문원과 그 동조자들은 국보법 제정 저지를 위해 안간힘을 다 썼다. 법사위의 초안이 상정되는 것과 동시에 국보법을 심의하지 말고 폐기하자는 동의안을 발의했다. 이 동의안은 김옥주 외 47명이 서명하여 제출했다.

　폐기안을 제안한 의원들은 번갈아가며 자기들의 주장을 개진했고, 국회부의장으로서 사회를 맡은 김약수는 의사를 편파적으로 진행하면서 폐기 주장 의원들을 지원했다. 폐기동의안을 채택할 것인지 여부를 놓고 표결이 행해졌다. 표결 결과 재석 122 중 찬성 37, 반대 69로 부결되었다.

　11월 18일 법사위의 초안에 대한 심의가 개시되었다. 국보법 폐기를 추진하다가 실패한 의원들은 축조심의 단계에서 국보법을 유명무실한 법률로 만들려는 노력을 전개했다. 그러나 그들의 기도는 압도적 다수 의원들의 반대에 부딪쳐 번번히 좌절되었다. 국보법은 최종표결에서 재석 121 중 찬성 84, 반대 3의 압도적 찬성으로 가결되었다.

　이외에도 소장파 의원들은 반공태세 확립을 저해하는 활동을 전개했다. 반민특위에 의해 친일경력 반공 전문 경찰관들을 구금하도록 유도하기도 하고, 유엔한위의 평화통일 주선을 촉구하는 등의 활동을 전개했다.

국회프락치 검거와 처벌

　대한민국의 대공수사기관들은 국회에서 반국가적 활동을 일삼는 국회의원들을 주의깊게 관찰하다가 1949년 3월부터 그들에 대한 관찰을 수사로 발전시켰다. 그때부터 서울시경 사찰과와 검찰의 대공수사관들, 그리고 국군 헌병사령부 수사관들은 국회부의장 김약수를 중심으로 하는 이른바 '소장파' 국회의원들의 배후를 추적하기로 결정했다.

당시 수사진의 추적대상에 오른 사람들은 김약수, 노일환, 이문원, 김옥주 등 4명이었으며, 일당의 핵심인물로 김약수를 추정했다. 그 이후 서울시경 사찰과 형사들은 그들 4명을 미행하기 시작했고, 미행결과 당초 예상과는 달리 노일환과 이문원이 핵심인물이며 그들이 남로당원들과 접촉하고 있는 사실을 포착했다.

서울시경 사찰과 수사진은 49년 4월 초 노일환·이문원과 접촉하고 있는 남로당 공작원들이 들락거리는 충무로 2가의 한 사무실을 급습했다. 그곳에서 남로당 공작원들이 국회의원들을 상대로 포섭공작 및 정치공작을 전개한 문서자료들을 확보했다. 당국은 이 문서자료를 토대로 수사하여 5월 17일 남로당이 포섭한 국회프락치 혐의로 이구수 최태규 의원을 체포하고, 다음날에 이문원 의원을 체포했다.

수사기관은 6월 중순 남로당 중앙 월북문건부 연락원 정재한(여, 42)을 개성에서 체포하여 그가 휴대하고 있던 문서에서 남로당의 국회공작 관련 문건을 발견했다. 이 문건은 국회프락치사건을 수사하는 대공기관들의 자신감을 강화했다. 수사당국(경찰과 헌병사령부)은 6월 21일 남로당 국회프락치 혐의로 노일환, 강욱중, 김옥주, 김병회, 박윤원, 황윤호 의원들을 체포했고, 4일 후에는 국회 부의장 김약수를 체포했다.

당국의 수사는 더욱 확대되어 8월 10일 원장길, 배중혁, 김영기, 김익로, 차경모 의원들에 대해 구속영장이 발부되었고, 배중혁과 차경모는 구속되었다. 8월 14일에는 서용길, 신성균, 김봉두 의원이 추가 구속되었다.

국회프락치사건으로 이문원 등이 1차로 구속된 직후 국회의 프락치 동조 의원들은 국회의원의 면책특권을 주장하며 구속의원 석방투쟁을 전개했다. 이런 석방투쟁에는 프락치 동조자라 할 수 없는 이재형,

김장렬, 조국현, 김인식, 이원홍, 김수선 의원 등도 동참했다. 구속의원 석방 결의안은 재석 184 중 찬성 88, 반대 95, 기권 1로 부결되었다. 예나 지금이나 좌익분자들은 비좌익인사들의 얄팍한 동정심을 악용하여 이런 일을 자주 자행한다.

4차에 걸쳐 구속된 국회의원은 총 15명이었다. 이중 죄질이 가벼운 차경모와 김봉두는 불기소 처리되고 13명이 국가보안법 등을 위반한 혐의로 기소되었다. 49년 11월 17일부터 50년 3월 15일까지 진행된 1심 재판 결과, 노일환·이문원 징역 10년, 김약수·박윤원 징역 8년, 김옥주·강욱중·김병회·황윤호 징역 6년, 최태규·이구수·서용길·신성균·배중혁 징역 3년이 각각 선고되었다. 피고인들은 모두 1심 판결에 불복하여 항고했다.

국회프락치사건의 비조작성을 입증하는 것들

국회프락치사건이 조작된 사건이라는 주장은 다음과 같은 이유로 타당성을 보장하기 어려운 주장이다.

첫째, 위에서 정리한 수사의 진행과정이 비조작성을 입증해주고 있다. 조작사건은 조작 주체가 하나의 완성된 시나리오를 가지고 조작을 진행하는 것이기 때문에 범죄혐의자들을 일거에 검거하고 끝낸다. 국회프락치사건은 49년 5월부터 8월까지 장기간에 걸쳐 수사 진전 상황에 따라 혐의자들을 질금질금 구속했다. 완성된 조작 시나리오가 없었기 때문이다. 먼저 체포한 자를 수사하는 과정에서 새로운 범죄혐의자가 노출되고, 새로 체포한 사람을 수사하다가 또 다시 새로운 범죄혐의자를 발견하게 되어서 그와 같이 찔끔찔끔 구속이 이루어진 것이다.

둘째, 연루자들의 행적이 사건의 비조작성을 입증해준다. 국회프락치사건 관련자들은 1심 판결에 불복 항고하여 2심 계류 중에 6·25전쟁을 맞이하였다. 북한군이 서울을 점령하자 그들은 모두 수감 중이던 서대문 형무소에서 출옥했다. 출옥자 가운데 서용길을 제외한 나머지 12명은 북한군의 점령기간 중 그들에 협조하다가 일부는 북한군이 패퇴하기 전에 월북하고 일부는 북한군이 패퇴할 때 같이 월북했다. 일부는 납북된 것으로 가족들에 의해 주장된다. 서용길은 경기도 고양의 농가에 숨어 지내다가 수복 후 당국에 자진 출두했다.

노일환, 이문원, 김약수, 강욱중, 김옥주, 배중혁, 이구수, 최태규 등 8명은 월북 후 북한에서 평화통일협의회의 상무위원으로 활동하다가 58년 말 ~ 59년 초 남로당계 숙청시기에 함께 숙청된 것으로 추정된다. 김병회, 박윤원, 신성균, 황윤호 등 4명은 납북(?)된 후 행방불명되었다.

이러한 행적에 비추어볼 때 남로당프락치로 검거되었던 국회의원들이 좌익사고=친북의식을 가지고 활동했던 사람들인 것을 부정하기 어렵다.

셋째, 관계자 증언·진술이 국회프락치사건의 비조작성을 입증해준다. 사건의 비조작성을 입증해주는 관계자들의 증언·진술들은 아래와 같다.

■ 신익희의 증언 : 국회의장 신익희는 49년 6월 30일 헌병사령부로 찾아가 국회부의장인 김약수를 면회했다. 이 자리에서 김약수는 "국회 안에 확실히 악질분자가 있다는 것을 자기도 이 곳

에 들어와서 몸소 보고 알았다. 부의장직을 사임하겠다"고 말했다.

■ 이문원의 법정진술과 신문조서 : 내가 한 행동은 민족주의자의 한 사람으로서 이념적으로 부르짖은 것이 남로당에 이용당한 것이다. 공작원 하사복으로부터 지시를 받고 이런 저런 행동을 했으며, 하사복이 만약 배반적 행동을 할 때는 생명을 해치겠다고 협박하여 부끄러운 말이나 생명이 아까와 계속 지령대로 움직인 것이 오늘의 불행을 초래한 큰 동기다. 나는 과거의 죄과를 후회한다.

■ 김약수의 신문조서 : 노일환 등 소장파는 평소 국회에서 발언한 것이나 이번 유엔한위에 제출한 진언서 문구로 볼 때 좌익의 의심을 갖게 하는 경우가 많으므로 일반이 그자들의 사상이 불순하다고 평을 하는 것이고 그자들 중 김병회는 모 주점에서 좌익적 언사를 토로한 바 있다.

■ 박윤원의 신문조서 : 김구가 나에게 남북화평통일과 외군철퇴주장을 하라고 말한 바 있고 나는 자주독립과 민족진영의 일치단결을 위해 외군철퇴를 주장했다. 검거당한 후 보니까 결과적으로 남로당의 일을 해준 것이 됐고 나는 김구 노선을 지지했고, 이문원 노일환은 이를 이용했으며 나의 외군철퇴 주장은 좌익에 호응한 것이 됐다.

이상과 같이 볼 때, 국회프락치사건은 그 구체적 내용에 일부 조작된 요소가 있을 가능성이 있을지라도 사건 전체가 조작된 것이라고는 말할 수 없을 것으로 판단된다.

제16장

남북한의 친일파 숙청과
토지개혁의 비교

북한의 친일파 숙청

　북한에서는 친일파 숙청과 토지개혁이 철저히 실행되었고 남한에서는 그것들이 제대로 실행되지 않았다는 통설이 우리 사회에 널리 퍼져 있다. 한국 현대사를 전공하는 역사학자들의 압도적 다수가 좌경적 관점을 가지고 있는 현실에 비추어 볼 때, 그러한 주장이 통설로 되고 또 널리 확산되는 것은 피할 수 없는 현상이라고도 할 수 있다. 그러나 불가피한 현상이라고 해서, 그리고 통설화되었다고 해서 그것을 진실로 받아들이는 것은 과학으로서의 역사를 연구하는 사람의 올바른 자세가 아니다. 필자는 이 글에서 그런 통설이 타당한지 여부를 실증적으로 검토해보고자 한다. 먼저 북한의 친일파 숙청 상황을 살펴보자.

　북한의 친일파 숙청은 소련군의 북한점령이 완료된 직후인 1945년 9월초부터 시작되었다. 당시엔 북한지역 전체를 통치하는 정식 정권 기구가 없었기 때문에 각 지역의 인민위원회가 자기들 마음대로 친일파 숙청을 진행했다. 소련군의 지원으로 조직된 각 지역의 인민위원회의 치안대원들은 지역의 공산주의자나 지역주민들이 친일파로 낙인찍은 자들을 체포한 후 주민들의 인민재판을 열어 직접 처벌하기도 하고 소련군대에 넘기기도 했다. 신병이 소련군에 넘겨진 자들은 시베리아로 보내졌다. 이 시기의 친일파 숙청은 아무런 법적 기준도 없이 군중과 그들을 선동하는 자들의 뜻대로 진행되었다.

각 지방별로 산만하게 전개되던 친일파 숙청은 1946년 2월 북한지역의 단독 임시정부인 북조선임시인민위원회가 출범하면서 다소간 체계를 갖추어 진행되었다. 북조선임시인민위원회는 46년 3월 7일 '친일파·민족반역자에 대한 규정'을 발표했다. 이 규정은 다음 15개 항에 해당하는 자들을 친일파 민족반역자로 규정했다.

① 일제의 침략 당시 조선민족을 일본제국주의자들에게 팔아먹은 매국노와 그 관계자.

② 귀족 칭호를 받은 자, 중추원 부의장 고문 및 참의, 일본 국회 귀족원과 중의원의 의원.

③ 조선총독부 국장 및 사무관, 도지사, 도사무관, 도참여관.

④ 일제경찰 및 헌병 고급관리(경찰경시, 헌병 하사관급 이상) 사상범 담임판사와 검사.

⑤ 고등경찰 중 인민의 원한의 대상이 된 자.

⑥ 고등경찰의 밀정책임자와 밀정.

⑦ 해내외 민족운동자와 혁명투사들을 학살 또는 박해한 자와 방조한 자.

⑧ 도회의원 및 친일단체 파쇼단체(일진회, 일심회, 녹기연맹, 대의당, 방공단체 등) 간부.

⑨ 군수산업의 책임경영자 및 군수품 조달 책임자.

⑩ 일제의 행정, 사법, 경찰기관과 관계를 가지고 만행을 감행한 민간인.

⑪ 일제의 행정, 사법, 경찰의 관공리로서 인민들의 원한의 대상이 된 자.

⑫ 황국신민화운동을 전개하여 지원병, 학도병, 징용을 권장한 지도자.

⑬ 8·15 해방 후 민주주의적 단체를 파괴하며 또는 그 지도자를 암살하기 위한 음모를 꾸몄거나 테러단을 조직하고 그것을 직접 지도한 자와 그와 같은 단체들을 배후에서 조종한 자 혹은 테러행위를 직접 감행한 자.

⑭ 8·15 해방 후 민족반역자들이 조직한 반동단체에 의식적으로 가담한 자.

⑮ 8·15 해방 후 민족통일전선을 방해하는 반동단체의 밀정 혹은 선전원으로서 밀정행위를 감행한자와 허위선전을 한 자.

※ 부칙 : 이상의 조항에 해당한 자로서 현재 나쁜 행동을 하지 않는 자와 건국사업을 적극 협력하는 자에 한하여서는 그 죄상을 감면할 수도 있다.

이 규정의 특이한 내용은 ⑬⑭⑮항과 부칙이다. 3개항은 해방 후 우익진영 활동자를 '친일파·민족반역자'로 규정했으며, 부칙은 친일파라도 '건국사업', 즉 공산정권 수립에 협조한 자는 처벌을 면할 것임을 규정했다. 이 규정을 보면, 북한정권이 친일파와 반공인사(공산당식 표현으로는 '반민주 반동분자')를 하나의 범주로 묶어서 처벌하려는 의도와 공산정권에 협조하면 친일파라도 관용하려는 방침을 가지고 있었음을 시사한다.

북조선임시인민위원회는 이 규정에 따라 친일파 숙청을 전개했다.

규정에서 시사된 바와 같이 북한은 친일파와 반공인사를 한 범주로 묶어서 숙청했다. 북조선임시인민위는 친일파와 반공인사를 하나로 묶어서 처벌하긴 했으나, 처벌당한 사람들에 대한 구체적 명단과 죄과 기록이 없다. 이처럼 어떤 인사들을 어떤 친일행위 때문에 어떤 재판 과정을 거쳐서 처벌했는지에 관한 기록이 전무하다는 것은 북한의 친일파 숙청이 겉으로 천명한 명분과는 달리 왜곡되어 진행되었거나 부실하게 진행되었음을 암시한다고 볼 수 있다. 그들이 자랑스럽게 내세우는 친일파 숙청인 만큼 그에 관한 기록은 매우 풍부해야 할 것이다.

북한은 법규상으로는 친일파 숙청 의지를 지속적으로 천명했다. 1946년 11월 3일 실시된 북조선 도·시·군 인민위원회 위원 선거를 앞두고 만들어진 인민위원 선거규정에는 친일분자의 선거권과 피선거권을 박탈하는 조문이 포함되었다. 이 조문은 이후 북한의 각종 선거법에 계승되었다. 또한 북한은 1948년 9월 조선민주주의 인민공화국을 설립하면서 인공헌법에도 친일파 숙청 조항을 삽입했다. 인공헌법은 '친일분자는 선거권과 피선거권을 가지지 못한다'(제12조), '일제시기에 판검사로 근무한 자는 판검사가 될 수 없다'(제85조)는 조항을 내포했다.

북한에서는 법규상으로는 친일파 숙청을 지속적으로 규정했으나 북한정권은 초창기부터 친일경력자들을 상당히 많이 기용했다. 공산정권에 기용된 친일파들은 그들의 친일경력 때문에 시비의 대상이 되지 않았다. 친일파라도 공산당에 협조하면 친일경력을 불문에 부친다는 규정 때문이었다. 여기서 파악할 수 있는 것은 북한의 친일파 숙청이 공산당에 반대하는 반공인사(그들의 표현으로는 반동분자) 숙청에 초점이 맞춰진 것이었다는 점이다. 친일파라도 공산당에 협조하면 관용하

고 친일파가 아니라도 공산당에 반대하면 '친일 반동분자'로 처벌했던
것이다.

남한의 친일파 숙청

대한민국에서는 법률에 의거하여 그 법이 정한 절차에 따라 친일
파 청산작업을 진행했다. 남한의 좌익세력은 북한에서처럼 법률 없이
인민재판으로 친일파를 숙청하자고 주장했으나 건국 주도세력은 새로
건국할 국가는 민주적 법치국가여야 하며, 민주적 법치국가에서는 친
일파 숙청도 법률에 따라 행해져야 한다고 주장했다.

건국 주도세력이 친일파 숙청을 위해 제일 먼저 취한 조치는 대한
민국 건국을 위해 실시하는 5·10선거에 적용될 국회의원선거법을 통
해 친일파의 선거권과 피선거권을 박탈한 것이다. 그에 관해서는 이
책의 제8장에서 자세히 설명했다.

대한민국은 이처럼 건국국회를 구성함에 있어서 친일파 배제원칙
을 지켰기 때문에 대한민국 초대 국회의원이나 행정부 초대 내각에는
친일파로 규정될 수 있는 인사가 단 한 명도 참여할 수 없었다. 대한민
국을 친일파가 건국했다는 주장은 이런 사실을 알지 못하는 사람들의
잘못된 주장이다.

대한민국 건국국회는 친일파를 처벌하려는 의지가 강하여 현대 민
주법치 국가에서는 금기로 되어 있는 소급입법을 단행했다. 그런 소급
입법을 단행하기 위해서 건국헌법을 제정함에 있어서 헌법 부칙에 '이
헌법을 제정한 국회는 단기 4278년(서기 1945년) 8월 15일 이전의 악질

적 반민족행위를 처벌하는 특별법을 제정할 수 있다'(부칙 101조)라는 조문을 마련했다. 훗날 반민족행위자 처벌법이 제정될 때 그것이 민주법치국가의 소급입법 금지 원리에 위반된다는 반론이 제기되는 것을 방지하기 위해서였다.

건국국회는 대한민국 건국 후 제일 먼저 제정한 법률로 '반민족행위처벌법'(반민법)을 제정했다. 1948년 9월 건국국회가 제정한 반민법의 주요 내용은 아래와 같다.

제1조. 일본정부와 통모하여 한일합병에 적극 협력한 자, 한국의 주권을 침해하는 조약 또는 문서에 조인한 자와 모의한 자는 사형 또는 무기징역에 처하고 그 재산과 유산의 전부 혹은 2분지 1 이상을 몰수한다.

제2조. 일본정부로부터 작을 수한 자 또는 일본제국의회의 의원이 되었던 자는 무기 또는 5년 이상의 징역에 처하고 그 재산과 유산의 전부 혹은 2분지 1 이상을 몰수한다.

제3조. 일본치하 독립운동자나 그 가족을 악의로 살상박해한 자 또는 이를 지휘한 자는 사형, 무기 또는 5년 이상의 징역에 처하고 그 재산의 전부 혹은 일부를 몰수한다.

제4조. 아래 각호에 해당하는 자는 10년 이하의 징역에 처하거나 15년 이하 공민권을 정지하고 그 재산의 전부 혹은 일부를 몰수할 수 있다.

① 습작한 자

② 중추원부의장, 고문 또는 참의가 되었던 자

③ 칙임관이상의 관리가 되었던 자

④ 밀정행위로 독립운동을 방해한 자

⑤ 독립을 방해할 목적으로 단체를 조직했거나 그 단체의 수뇌간부로 활
  동하였던 자

⑥ 군, 경찰의 관리로서 악질적인 행위로 민족에게 해를 가한 자

⑦ 비행기, 병기 또는 탄약 등 군수공업을 책임경영한 자

⑧ 도, 부의 자문 또는 결의기관의 의원이 되었던 자로서 반민족적 죄적
  이 현저한 자

⑨ 관공리가 되었던 자로서 그 직위를 악용하여 민족에게 해를 가한 악질
  적 죄적이 현저한 자

⑩ 일본 국책을 추진시킬 목적으로 설립된 각 단체본부의 수뇌간부로서
  악질적인 지도적 행동을 한 자

⑪ 종교, 사회, 문화, 경제 기타 각 부문에 있어서 민족적인 정신과 신념을
  배반하고 일본침략주의와 그 시책을 수행하는데 협력하기 위하여 악
  질적인 반민족적 언론, 저작과 기타 방법으로써 지도한 자

⑫ 개인으로서 악질적인 행위로 일제에 아부하여 민족에게 해를 가한 자

제5조. 일본치하에 고등관 3등급 이상, 훈 5등 이상을 받은 관공리 또는
       헌병, 헌병보, 고등경찰의 직에 있던 자는 본법의 공소시효 경과
       전에는 공무원에 임명될 수 없다. 단, 기술관은 제외한다.

제6조. 본법에 규정한 죄를 범한 자로서 개전의 정상이 현저한 자는 그
       형을 경감 또는 면제할 수 있다.

  대한민국 반민법은 철저히 해방 이전의 친일행위에 대한 처벌을 목
적으로 한 것이다. 북한의 친일파 규정과 다른 점은 3가지다. 대한민
국 반민법에는 ① 건국에 협조한 친일파에 대한 관용 조항이 없다는

점, ② 해방 이후의 활동에 대한 처벌 조항이 없다는 점, ③ 처벌 형량을 명시했다는 점 등이다. 그 내용은 북한의 친일파 규정보다 훨씬 엄중하다고 할 수 있다. 대한민국의 반민법은 친일분자가 해방 후 대한민국의 건국에 아무리 큰 기여를 했더라도 친일행위로 인한 처벌을 감면받을 수 없도록 만들어졌다. 반민법 6조는 '개전의 정상이 현저한 자는 그 형을 경감 또는 면제할 수 있다'고 규정하고 있는데, 여기서 말하는 '개전의 정상이 현저한 자'는 북한의 친일파 규정에서 말하는 '건국사업에 적극 협력하는 자'와는 의미가 판이하다.

반민법은 또 이 법을 집행하기 위해 국회의원으로 구성된 반민특위를 조직하고, 특위 산하에 특별재판부와 특별검찰부를 설치하도록 했다. 반민특위는 1949년 8월 말까지 약 1년 동안 활동했다. 도중에 대한민국 건국에 협조한 친일 경찰 간부를 체포한 것이 문제가 되어 행

반민족행위자처벌법에 의거 체포된 친일파들이 포승줄에 묶여서 끌려가고 있다.

정부와 갈등이 심화된 탓에 반민특위의 활동이 위축되었다. 그럼에도 불구하고 특위는 682건의 반민족행위 사건을 사법적 절차에 따라 소추하였다. 구체적으로는 영장발부 408건, 기소 221건, 재판종결 38건, 처벌 12건의 사법적 소추가 있었다.

건국국회는 제2대 국회의원 선거(5·30선거)에 적용할 국회의원선거법을 개정하는 과정에서 건국국회의원선거법에 들어 있던 친일파 배제 조항을 삭탈했다. 그 조항을 삭탈하는 것은 아직 일렀다. 국회의원 선거법에서 친일파 배제 조항을 조기 삭탈한 것은 국민의 기대에 크게 못 미치는 반민특위의 성과와 더불어 훗날 대한민국이 친일파 숙청을 제대로 하지 않았다는 비판의 빌미를 제공한 것이라 할 수 있다.

북한의 토지개혁

북한을 점령한 소련군은 점령 직후부터 사회주의화를 목적으로 하는 토지개혁을 빠른 시일 내에 추진하려 했다. 1946년 2월 북조선 임시인민위원회가 설립되자마자 소련의 희망대로 토지개혁을 서둘러 실시하게 되었다. 북한의 임시인민위원회는 1946년 3월 5일 토지개혁에 대한 법령과 시행령을 발표했다. 북한의 토지개혁은 3월 8일부터 북한의 전역에서 동시에 실시되었다.

북한의 토지개혁은 마을별로 구성된 농촌위원회의 주도하에 군중동원방식으로 진행되었다. 농촌위원회는 소작농·빈농·고농(머슴) 가운데 20~30대의 청년들을 중심으로 구성되었다. 농촌위원회는 인민위원회와 공산당의 지휘와 도시에서 파견된 노동자들의 지원 아래 자기 마을에서 토지개혁을 위한 집회를 개최한 후 자기 마을의 지주들을 붙들어다 놓고 그의 토지를 무상으로 빼앗아서 소작농·빈농·고농 등에게 공짜로 나누어주는 방식으로 토지개혁을 진행했다.

토지분배는 각 농가의 노동력을 근거로 하는 분배기준점수제에 의해 실시되었다. 지주들은 토지뿐 아니라 그 외의 여타 생산수단의 소유권도 농업노동자나 소작인에게 빼앗겼으며, 농민들에게 빌려주었던 채권도 무효화되었다. 모든 것을 빼앗긴 지주들은 3일 이내에 다른 군으로 강제 이주시켰고, 그 지역에서 자가경작이 가능한 토지를 제공받았다.

이렇게 해서 북한의 토지개혁은 20일 만에 완료되었다. 토지개혁에 의해 분배된 토지가 전체 토지에서 차지하는 비중은 53.0%이고, 1945년 현재 소작지 가운데 토지개혁에 의해 분배된 토지비율은 95.0%이며, 수혜농가 비율은 전체의 72.0%였다.

북한의 농민들이 분배받은 토지는 겉으로는 농민의 소유인 것처럼 되었으나 실제로는 경작권만 주는 것이었다. 북한의 토지개혁법령은 "몰수한 토지 전부는 농민에게 무상으로 영원히 양여한다"(제5조)라고 해놓고서는, "농민에게 분여된 토지는 매매치 못하고, 소작 주지 못하며 저당하지 못한다"(제10조)라고 못 박아 놓았다.

이처럼 농민에게 경작권만 제공한 것은 농민의 거주이전과 직업선택을 제한하는 불이익을 농민에게 안겨주었다. 이사를 가면 토지경작권을 고스란히 상실하게 될 것이기 때문이다. 토지를 분배받은 농민은 소출의 40% 가량을 매년 현물세로 바쳐야 했다. 이러한 현물세 부담은 과거 지주에게 바치는 소작료와 별 차이가 없었다. 이러한 상황은 지주가 민간인에서 인민위원회로 바뀌었을 뿐 농민은 여전히 소작인에 머무는 것과 다름없었다. 그나마 북한 농민들은 1954년부터 실시된 북한의 협동농장화 조치에 따라 경작권조차도 몰수당했다. 북한의 토지개혁은 토지의 완전한 국유화를 위한 준비조치였으며, 농민들에게 일시적으로 자기 토지를 소유한 것 같은 착각을 갖게 만든 기만적 조치였다.

남한의 농지개혁

남한의 농지개혁은 이승만 대통령이 앞장서 추진했다. 지주들이 많은 한민당의 저항으로 지연되던 농지개혁은 1949년 6월 21일 농지개혁법이 국회를 통과하면서 가시화되었다. 행정부는 농지개혁법의 일부 조문들의 내용에 상호 충돌하는 사항들이 있어서 그 공포를 미루며 국회에 상호 충돌하는 사항들을 제거하는 농지개혁법의 수정을 요구했다. 국회는 행정부의 요구를 들어주지 않았다. 그러한 국회와 행정부의 실랑이로 인해 농지개혁은 지연되고 그 동안에 일부 지주들은 소작농에게 농지를 미리 팔기도 하는 등 부작용이 발생했다. 국회가 농지개혁의 상충점들을 해소하는 개정을 해주어서 1950년 3월에야 개정 농지개혁법이 공포되었다. 농지개혁은 그 때부터서야 본격적 실시 단계로 들어갔다. 농지개혁의 실제적 시행은 법률의 정비보다 빨리 진행되어 그해 3~4월에 농지조사를 한 후 많은 지역에서 4~6월에 농지 분배가 실시되었다. 늦은 지역에서는 6·25전쟁에서 수복함과 동시에 농지개혁이 실시되었다.

농지개혁은 지주로부터 농지를 강제 매수하여 소작농에게 유상분배하는 방식으로 진행되었다. 이처럼 유상몰수 유상분배 방식을 취한 것은 토지의 사유권을 존중하는 자본주의 경제원리를 일정부분이라도 존중하기 위해서였다. 지주에 대한 보상은 주작물 평균생산량의 1.5배를 기록한 지가증권을 교부하고 1951~1955년까지의 매년 정부매상가격으로 계산하여 매년 현금으로 5년간 균등분할 지급하는 조건이었다. 농지를 분배받은 농가는 농지에 대한 대가로서 평년작 주작물 생산량의 1.5배를 5년간 정부에 분할상환하는 조건이었다. 농지개혁 결과 농지개혁에 의해 분배된 농지가 전체 농지에서 차지하는 비중은 23.7%이고, 1945년 현재 소작지 가운데 농지개혁에 의해 분배된 농지비율은 37.5%이며, 수혜농가비율은 70.1%였다.

남한의 농지개혁은 소작농들에게 토지소유권을 제공하는 것이었다. 개혁에 의해 분배된 토지의 저당과 매매는 농지대금을 완납할 때까지만 금지되었다. 북한의 토지개혁이 지주의 소작농을 국가의 소작농으로 전환한 것인데 반해 남한의 농지개혁은 소작농들을 명실상부한 자작농으로 전환시킨 것이었다. 게다가 농지개혁 직후 6·25전쟁이 발발하고 인프레가 심하여 농지개혁으로 농지를 분배받은 농민들은 큰 이득을 보게 되었다.

비교 평가

남북한의 친일파 숙청과 토지개혁의 비교평가는 남북한의 체제 차이를 고려하면서 평가해야 타당한 평가가 된다.

북한은 공산정권을 지향했고, 친일파는 대체로 반공적이었다. 때문에 북한에서는 체제의 공고화를 위해 친일파를 숙청할 필요가 매우 절실했다. 그에 반해 대한민국은 반공국가였고 친일파도 반공적이었다. 때문에 체제 공고화를 위해 친일파를 숙청해야 할 필요성은 강하지 않았다. 친일파 숙청은 체제 공고화를 위해서 절실한 반공 노력을 약화시킬 우려가 있었다.

이러한 점을 고려한다면, 북한에서 친일파 숙청이 반공세력 숙청의 외피로 이용되어 광범하게 전개된 것보다는 남한에서 체제 공고화에 지장을 줄 우려를 무릅쓰고 진행된 미적지근한 친일파 숙청이 더 가치 있는 것이었다고 평가할 수 있다. 남한의 친일파 숙청은 체제공고화에 불리함에도 불구하고 진행된 것이기 때문이다. 또한 북한에서 공산당에 협력한 친일파는 친일전력을 불문에 부친 것에 비추어볼 때 남한에서 대한민국 건국을 방해하는 공산주의세력의 제압에 기여한 친일 경찰들을 철저하게 숙청하지 않은 것은 심하게 비판될 사항이 아니다. 체제수립에 기여한 친일파를 관용한 북한이나 체제수립을 방해한 세력을 제압하는데 기여한 친일경찰을 숙청하지 않은 남한이나 피장파장인 것이다.

토지개혁에 있어서도 동일한 비교평가가 적용되어야 한다. 북한은 공산체제로 이행하는 과정이었기 때문에 토지의 사유를 부정하는 무상몰수 무상분배 방식의 토지개혁을 단행하는 것이 체제의 원리와 부합했다. 그러나 대한민국은 자유민주주의체제를 지향하는 국가였기 때문에 농지사유권을 부정하는 농지개혁을 실시하는 것이 체제의 원리와 부합하지 않았다. 그러한 조건에서 체제의 원리를 일부 침해하면서 유상몰수 유상분배의 농지개혁을 실시한 것은 대단한 정치적 결단을 요구하는 것이었다.

남한의 농지개혁은 체제의 원리를 손상하면서 단행한 것이라는 점에서 북한의 토지개혁보다 높이 평가되어야 하지만, 농지개혁 후 남한 농민의 삶이 토지개혁 후 북한 농민의 삶보다 월등 양호해졌다는 점에서도 남한의 농지개혁은 북한의 토지개혁보다 높은 평가를 받아야 한다.

　결론적으로 말해서, 친일파 숙청에 있어서나 농지개혁에 있어서나 남한의 것은 체제의 공고화에 마이너스 작용을 하는 것임에도 불구하고 그것을 무릅쓰고 단행되었다는 점에서 북한에서 이루어진 그것들보다 높이 평가할 만하다. 적어도 이제까지의 통설처럼 남한의 친일파 청산과 농지개혁을 북한의 친일파 숙청과 토지개혁보다 더 낮게 평가할 일은 아니다.

대한민국 건국전후사 바로알기

초판1쇄 발행	2019년 08월12일
2쇄 발행	2019년 09월02일
3쇄 발행	2019년 10월14일
4쇄 발행	2020년 06월16일
5쇄 발행	2022년 06월20일
6쇄 발행	2025년 01월06일

지은이	양동안
발행인	이희천
펴낸곳	도서출판 대추나무
표지 디자인	오종국 Design CREO
ADD	인천광역시 남동구 문화서로 3번길 14-7, 101호
전화	032-421-5128, 010-8799-1500
팩스	032-422-5128
등록	231-99-00699
ISBN	979-11-967545-1-8 (03300)

정가 15,000원

※ 잘못 만들어진 책은 구입처에서 교환 가능합니다.